월드 스키 투어

장 클로드 문

월드 스키 투어

Skiing & Golfing Travel

(43Countries, Hundreds of Resorts)

이서원

추천사

박순백, 수필가, 언론학박사, 전 대한스키지도자연맹 이사

1968년, 프랑스의 그레노블에서 동계올림픽이 열린 해에 스키를 시작한 이후 지금까지 줄곧 스키에 빠져 지내며 그 대회의 알파인 3관왕으로서 프랑스 최고의 영웅이 되고, 그 이후 스키계의 진정한 전설로 남은 장 클로드 킬리 *Jean Claude Killy* 를 흠모하며 살아왔다. 지금까지도 내겐 스키가 모든 운동의 중심이며, 비시즌의 다른 운동들은 모두 스키를 위한 보조운동으로 여겼을 정도이니 스키를 업으로 하지 않은 사람으로는 나만큼 스키에 미친 사람은 없으리라는 걸 자랑으로 여기며 살았다. 그리고 스키를 타는 매순간마다 그걸 하늘이 준 더 없는 기회라 생각하고 최선을 다해 스키를 탔다. 그렇게 스키력 50년에 달했지만 아직도 난 누구에게도 뒤지지 않으려고 훈련하듯 스키를 타고, 매년 향상하는 스키 실력에 큰 즐거움을 느끼며 지내왔다.

이렇게 스키에 미쳐있음을 자랑으로 여기며 살던 내가 페이스북을 통해 만난 한 스키어 때문에 그 자존심에 큰 상처를 받았다. 정말 있을 수 없는 일이었다. 세상의 수많은 스키어들이 킬리를 흠모한다고 해도 나 이상으로 그를 좋아하는 사람은 없을 거라고 생각했는데, 나보다 더 심한 사람을 보게 된 것이다. Jean Claude Moon이라는 영문명을 보면서 혹시나 했는데, 역시나 그장 클로드 킬리의 이름에서 따 온 것이었다. 킬리를 좋아하다 못 해 그의 이름을 따서 자신의

성 앞에 붙인 강적이 나타난 것이다. 그래서 킬리에 대한 사랑이라는 점에서는 내가 한 수 접어야만 했다. 반세기에 가까운 그 사랑을 그 장 클로드 문, 문병천 선생에게 빼앗겼다는 생각이 들었다. Good bye, J. C. Killy.

최강 연적(?)의 존재를 알게 됨과 동시에 이 분의 스키 사랑이 얼마나 대단한 것인가를 알게 된 또 하나의 사건이 다시 날 절망케 했다. 스키를 좋아하면 이국적인 풍경을 가진 스키장에서 스킹하는 것이 꿈이 되기 마련이다. 1990년대 중반에 해외 스키 여행을 시작했지만 생업에 바쁘다보니 나는 은퇴를 10여 년 앞두고부터 비로소 본격적인 해외 스키장 탐방을 시작하였다. 우리보다 앞선 스키 문화를 지닌 해외 스키장에서의 경험들은 스키어로서의 나를 더욱 성장하게 만들었다. 그러다 강적 문 선생님이 이 분야에서도 내가 넘볼 수 없는 경지에 이미 올라있음을 알게 되었다. 지난 40여 년간 문 선생님은 19개국의 40개 지역에서 스키를 탄 경험이 있다는 걸 페이스북의 글과 거기 곁들인 사진을 통해 알게 된 것이다. 난 또다시 할 말을 잊었다. 그리고 완전히 손을 들어버렸다.

이런 분이 있음을 늦게 안 것이 한탄스러웠다. 이런 분이 있음을 지금껏 알지 못한 우리 스키계가 참 답답하기도 했다. 스키 가이드조차 없는 나라를 스키 선

진국이라 부를 수는 없지 않은가. 이 분의 경험
이 좀 더 빨리 공유될 수 있었다면 우리의 스키
문화를 훨씬 더 발전시킬 수 있었을 텐데…

그래도 다행이다. 이 분의 진가를 파악하고, 그
귀중한 경험을 한 권의 책으로 집약하고자하는
출판사가 나타났다는 것이 말이다. 문병천 선
생님의 그간의 수많은 경험과 스키 사랑이 묻
어나는 유려한 글과 1만 장에 가까운 사진들 중
에서 고른 아름다운 사진들을 통해 "월드 스키
투어"란 단행본으로 소개된다니…
스키에 대한 40여 년의 오랜 사랑을 한 권의 책
에 담은 노고에 대하여 저자와 출판사에 감사
드리며, 동시에 이런 귀중한 자료를 가지게 된
우리 스키어들에게는 진심어린 축하의 말씀을
전한다.

작가의 말

장 클로드 문

스킹 *Skiing*, 이것은 나에게는 삶의 활력소이자 끝없는 도전의식을 주는 취미의
한 부분이다. 1976년 용평에 우연히 삼촌 *James Hong* 을 따라갔다가 배우게 된
이 마법의 운동에 온 마음을 뺏기게 되었다. 이후 골프, 테니스, 클라이밍 등 여
러 운동을 해 보았지만 스키만큼 매력적이진 않았다.

끝없는 백설白雪의 유혹

찬바람 소리와 스키날의 마찰음
그리고 눈까지 내린다.

처음 만나는 스키어와의 호기어린 스릴 넘치는 스키 경주
소리조차도 삼켜버릴 듯한 설원을 내달리는 느낌
눈에 빠져 헤어나오지 못할 때의 두려움

그러나 하얀 눈은 어느새 내 와이프의 웨딩드레스처럼
다시 부드럽게 포근한 설원의 풍경 속으로 나를 빠져들게 만든다.

스키 매니아들이 주변을 둘러보면 생각보다 많다. 이제 장소와 계절의 한계를 넘어 언제 어디서든 즐길 수 있게 되었다. 그러나 매년 해외 스키투어를 하면서 너무도 아름다운 곳이 많아 이런 곳들은 많은 분들과 함께 공유하고 공감하며 즐길 수 있도록 우리나라에도 스키안내 책이 한 권 쯤은 있었으면 좋겠다는 생각을 해왔다.

우리나라의 계절적 한계 때문에 저변확대와 생활화는 제한적일 수밖에 없다. 사계절 언제든지 그리고 어느 장소에서든 탈 수 있는 정보 부족도 한 원인일 수 있다는 생각에 책의 출간을 기획하게 되었다.

2018년은 평창 동계올림픽도 열린다. 2018 동계올림픽을 기화로 동계스포츠 강국으로 도약하기 위해서는 시설확충과 많은 연구가 필요할 것이다. 또한 올림픽 개최를 위한 시설의 활용방안과 동계스포츠 산업 활성화에도 많은 노력이 필요할 것으로 생각된다. 이러한 노력의 일환으로 전 세계 스키장 관련 정보를 담은 이 책자는 정보수집과 저변확대에 도움이 될 것으로 확신한다.

이 책은 43개국 100여 곳의 리조트 정보를 소개하고 있다.
책을 기획하고 진행하면서 너무 오래된 사진 *디지털 카메라라 나오기 이전의 사진으로*

*필름과 인화지가 상당 부분 오염*은 엄선하여 사용하였다. 저자가 오랫 동안 준비한 많은 정보도 재손질을 할 수밖에 없었다. 예를 들면 리조트의 소유자가 바뀌었거나 기타 이유로 예전의 정보와 다른 정보가 상당히 있었다. 다시 확인하는 데에도 많은 시간이 들었다. 현재 기준으로 스키장과 골프장 안내서로 웹사이트, 이메일, 연락처 등을 확인하여 수록하였다.

일부 구하기 어려운 데이터나 사진은 리조트의 CEO 및 홍보 담당자나 매니저와 연락을 주고 받으며 보완하고 지원받았다. 뿐만 아니라 국내의 스키 리조트와 전문가로부터도 도움을 받았다.

앞으로도 스키 관련 서적이 많이 나와서 스키의 변방이 아니라 중심국으로 커가길 기대해보며, 이 책이 나오기까지 국내외의 도와주신 많은 분들에게 고마움을 전한다. 그럼, 세계 곳곳의 겨울 스포츠 여행지로 떠나보자.

Credit the pictures: swiss-image.ch/Immanuel Meier

목 차

추천사   5
작가의 말   8

Europe
Austria

- 인스브루크 (Innsbruck)   20
- 생 안톤 (St Anton)   26
- 키츠뷔엘 (Kitzbuhel)   32
- 첼암제, 카푸룬 (Zell am See, Kaprun)   38

Switzerland

- 베르비에 (Verbier)   42
- 융프라우 (Jungfrau)   48
- 체르마트 (Zermatt)   52
- 샤스페 (Saas-Fee)   58
- 생모리츠 (St.Moritz)   62

France

- 샤모니 몽블랑 (Chamonix)   68
- 발토랑스 (Val Thorens)   74
- 발디제르 (Val d'Isere), 티뉴 (Tignes)   80
- 라쁠란느, 레자크 (La Plagne, Les Arcs)   86
- 알프듀에즈, 레두잘프 (Alpe d'Huez, Les 2 alpes)   92

Germany

- 가르미슈-파르텐키르헨 (Garmisch-Partenkirchen)   96
- 오베르스트도르프 (Oberstdorf)   100

Italy

- 코르티나 담페초 (Cortina d'Ampezzo)   104

- 셀라 론다 (Sella Ronda)   108
- 비아라테아 (Sauze d'Oulx, Sestriere)   112
- 브뢰일 체르비니아 (Breuil-Cervinia)   116
Poland
- 자코파네 (Zakopane)   120
Czeko
- 크루코노세 (Krkonose National Park)   124
Slovakia
- 포프라트 (Poprad)   126
Hungary
- 베스프렘 (Epleny Siarena)   130
Slovenia
- 보겔 (Vogel), 크라니스카 고라 (Kranjska Gora)   134
Croatia
- 자그레브, 야세낙 (Zagreb, Bjelolasica-Jasenak)   140
Bosnia-Herzegovina
- 사라예보 (Bjelasnica, Jahorina)   144
Serbia
- 코파오닉 (Kopaonik)   148
Montenegro
- 두루미토르 (Durmitor Zabljak)   154
Bulgaria
- 반스코 (Bansko)   158
Romania
- 브라쇼브, 시나이아 (Poiana-Brasov, Sinaia)   162
Ukraine
- 부코벨 (Bukovel)   166

Russia
   - 소치 (Sochi-Krasnaya Polyana)   168
Spain
   - 바케이라 베렛 (Baqueira-Beret), 칸단추 (Candanchu)   172
   - 그라나다 (Sierra Nevada)   178
Andorra
   - 발노르드 (Vallnord), 그랑바리라 (Grandvalira)   182
Greece
   - 파르나소스 (Mt. Parnassos)   186
Turkey
   - 부루사 (Bursa, Uludaq)   190
   - 에르주룸 (Erzurum-Palandoken)   192
U.K. (Scotland)
   - 애비모아 (Cairngorm)   196
   - 포트 윌리암 (Nevis Range)   200
   - 세인트 앤드루스 (St. Andrews)   202
Finland
   - 키틸래 (Yllas, Levi)   206
Sweden
   - 외스퇴르순드 (Åre)   210
   - 살렌 (Salen)   216
Norway
   - 릴레함메르 (Lillehammer)   220
   - 헴세달 (Hemsedal)   224
   - 보스 (Voss)   230
   - 트뤼실 (Trysil)   234
Arctic
   - 북극권(1) (Tromso, Nordkapp, Svalbard)   234
   - 북극권(2) (Narvik, Kiruna)   250

North America
U.S.A.

- 베일, 비버 크릭 (Vail, Beaver Creek) 260
- 스팀보트 (Steamboat) 266
- 아스펜 (Aspen, Snowmass) 270
- 잭슨 홀, 그랜드 타그히 (JacksonHole, Grand Targhee) 274
- 솔트레이크 시티 (Deer Valley, Park City, Alta) 280
- 빅 스카이 (Big Sky) 286
- 선 밸리 (Sun Valley) 290
- 레이크 타호 (Lake Tahoe) 292
- 맘모스 마운틴 (Mammoth Mountain) 296
- 타오스(Taos) 298
- 알리에스카 (Alyeska) 302
- 킬링톤 (Killington) 306
- 레이크 플래시드 (Lake Placid) 308

Canada
- 휘슬러, 블랙콤 (Whistler, Blackcomb) 310
- 밴프, 레이크 루이스 (Banff, Lake Louise) 316
- 재스퍼 마머트 베이슨 (Marmot Basin) 322
- 몽 트렁블랑 (Mont Tremblant) 326

South America
Chile

- 뽀르띠요 (Portillo) 328
- 바예 네바도 (Valle Nevado 334

Argentina
- 라스 레냐스 (Las Lenas) 340
- 바릴로체 (Cerro Catedral) 346

- 우수아이아 (Cerro Castor)　　　　　　　　　　350

Asia

Korea
- 평창 (Yong Pyong, Phoenix Park)　　　　　354
- 정선 (High One, Jung Bong)　　　　　　　　360
- 무주 (Muju Deogyusan Resort)　　　　　　366

Japan
- 하쿠바 (Hakuba)　　　　　　　　　　　　370
- 니세코 (Niseko)　　　　　　　　　　　　374
- 니이가타 (Naeba, Kagura, Yuzawa)　　　　378
- 자오 (Zao)　　　　　　　　　　　　　　382

China
- 야부리 (Yabuli)　　　　　　　　　　　　386

Russia
- 캄차카 (Kamchatka)　　　　　　　　　　390
- 유즈노 사할린스크 (Gorny Vozdukh)　　　396

India
- 스리나가르 (Gulmarg)　　　　　　　　　398

Kazakhstan
- 알마티 (Symbulak)　　　　　　　　　　402

Kyrgyzstan
- 카라콜 (Karakol)　　　　　　　　　　　404

Iran
- 테헤란 (Dizin)　　　　　　　　　　　　408

Israel
- 네베아티브 (Neve Ativ)　　　　　　　　　412

Lebanon
- 시다스 (Cedars) 414

Oceania
Australia
- 진다바인 (Thredbo, Perisher) 418
New Zealand
- 와나카 (Wanaka) 422
- 퀸즈타운 (Queenstown) 428

Africa
Morocco
- 마라케시 (Oukaimeden) 434
South Africa
- 드라켄스버그 (Tiffindell Ski & Alpine Resort) 438

부록
Pyeong Chang 2018 Olympic Guide 445
기타 446

장 클로드 문

월드 스키 투어

Austria 인스브루크 Innsbruck

오스트리아 서부 티롤주 州의 주도 州都로 인구 12만 명, 해발 574m 높이에 위치하고 있다. 로마시대부터 동부 알프스의 교통요지로서 알프스 산맥에 있는 도시 가운데 가장 큰 도시이며, 빈 Wien, 그라츠 Graz, 린츠 Linz, 잘츠부르크 Salzburg 에 이어 오스트리아에서 다섯 번째로 큰 도시이다.

인스브루크의 백미는 12세기에 건설된 구시가지 관광으로 1500년에 지어졌으며 지금은 박물관으로 사용하고 있는 "황금의 지붕 Goldenes Dachl", 야곱 성당 등이 있다. 인스브루크는 분지 형태로 시가지 북쪽으로 하펠레카봉 Hafelekar, 2,334m 을 중심으로 사방이 고산으로 둘러싸여 있으며, 스키, 골프 등 관광 휴양 도시로 유명하다. 이곳은 1964년 제9회 동계올림픽과 1976년 제12회 동계올림픽이 개최되었으며, 1968년에는 동계 유니버시아드가 열리는 등 동계스포츠의 메카라 하겠다.

인스브루크 주변에는 이글스 Igls, 무터스 Mutters, 슈트바이 Stubai, 제펠트 Seefeld 등 8개의 스키장이 있는데 각자의 취향에 맞추어 다양한 스키 코스를 둘러보는 것도 좋을듯하다. 인스브루크에세 제일 가까운 이글스는 파체르 코펠 Patchelkofel 스키장의 베이스 산악마을로 고즈넉한 시골 분위기를 자아낸

다. 이곳은 올림픽 활강경기가 열렸던 곳으로 훌륭한 설질을 자랑한다. 시내에서 이글스행 버스나 지하철을 타고 이글스에 하차하여 파체르 코펠 케이블카에 오르면 해발 2,247m 파체르 코펠 정상에 도착한다. 정상의 높이는 2247m, 베이스 870m, 수직 고도 1377m, 11piste로 다양한 코스를 맛볼 수 있으며 정상에서 내려다보이는 인스브루크 시내의 풍경은 만년설의 알프스 봉우리들과 완벽하게 어울려 환상적인 풍광을 보여준다.

제펠트는 인스브루크 지역에서 가장 큰 스키지역으로 올림픽 크로스컨트리 경기가 열렸다. 이밖에도 인스브루크 역에서는 무터스, 쿠타이, 슈트바이 등으로 직통버스들이 운행되고 있다.

www.innsbruck-tourismus.com

알프스 만년설 봉우리들이 끝없이 펼쳐진 이곳에
스키어들의 끝없는 영광의 이야기가 담겨있다

23

인스브루크는 분지 형태로 시가지 북쪽으로 하펠레카봉을 중심으로
사방이 고산으로 둘러싸여 있으며, 스키, 골프 등 관광 휴양 도시로
1964년 제9회, 1976년 제12회 동계올림픽이 개최되었다

Innsbruck

Travel Information

Skiing Facts:
Stubai, Igls, Mutters, Axamer
Lizum, Seefeld :
PO Box A-6021, Innsbruck
Tel: +43 512 59850
Fax: +43 512 59857
Email: info@innsbruck.tvb.co.at
Web:
www.innsbruck-tourismus.com

Mountain Facts:
Summit: 3,210m
Base: 575m
Vertical Drop: 2,635m
Trails: 90
Total Trails: 282km
Lifts: 78
Gondolas/Cable Cars: 11
Restaurants: 211
Location: Innsbruck 5-10km

Golf Course:
Igls Rinn G.C.
A-6074 Rinn, Oberdorf 11,
Austria
Tel: +43/52 23/78 1 77
Fax: +43/52 23/78 1 77-77
Email:
office@golfclub-innsbruck-igls.at

Course Review:
* Founded: 1935Year
* Designer: -
* Championship Length: 6,133m
* Par: 71
* Type: Parkland
* Remarks:
   www.golfclub-innsbruck- igls.at

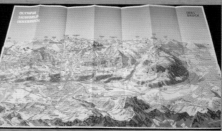

Austria 생 안톤 St Anton

오스트리아와 스위스 접경지대에 위치한 자그마한 도시로 알베르그 *Arlberg* 지역의 중심지이다. 이곳은 Hannes Schneider가 1921년 스키학교를 설립한 이래 알파인 스키 기술의 선구적인 역할을 하였다. 생 안톤은 독일이나 스위스에 비하면 물가도 저렴한 편으로 스키장 환경이나 시설 면에서도 뒤지지않으며 세계적인 스키 마니아들이 많이 찾고 있다.

레히, 츄르스, 생크리스토프 스키장 등을 통합한 메머드 스키지역으로 유럽에서는 스키 고수들이 최고로 인정하고 있는 지역이다. 생 안톤은 급경사의 옵피스트 *Off-Piste* 등 고난도 코스들이 즐비하여 가히 상급자에게는 도전적인 최고의 스키지역으로 손꼽히는 곳이다. 특히 St Anton, Lech, Zurs, Stuben으로 이어지는 광활한 스키지역은 스키 마니아들을 불러 모으기에 부족함이 없을 정도로 즐거움을 선사하며 스키지역이 광대하고 급경사*60-70%*가 많기 때문에 반드시 인솔자와 함께 가야 안전을 보장할 수 있다.

장엄한 Valluga, Kapall, Galzig 봉우리 지역에서 다이내믹한 스키도 즐기고 저녁에 아프레 스키로 세계 각지에서 온 친구들과 카페에서 어울려도 볼만하다. 생맥주 잔을 기울이다 보면 모두가 하나가 되어 흥에 겨워 소리 지르고 나도 모르게 춤을 추게 된다. 그 이방인 친구들과의 추억은 많은 세월이 흘렀지

만 아직도 생생하게 떠오른다. 인스브루크에서 열
차로 1시간, 취리히에서 3시간 걸리며 시즌에는 취
리히에서 직통열차가 자주 운행되어 접근이 용이하
며 최근엔 다보스처럼 다양한 국제회의도 유치 중
이다.

생 안톤의 산 정상에 오르면 광활한 전경에 놀라 환
호하지만 스키를 타고 난 후 저녁 석양의 시내는 한
폭의 그림을 연상시켜 그 분위기에 빠져들게 만든다.

호텔은 스키장과 대부분 가까이 있어 리프트 탑승
이 편리하고 스키장 사이에는 무료 셔틀버스를 운
행한다. 알베르그 스키 패스 *Arlberg Skipass* 권 1장
이면 5개의 스키장 *Lech, Zurs, Stuben, St. Christoph
etc* 을 자유롭게 이용할 수가 있다.

www.stantonamarlberg.com

St Anton

생 안톤은 스키포럼이 자주 열린다.
유럽전역의 스키전문가들이 모여 격의 없는 의견을 나눈다

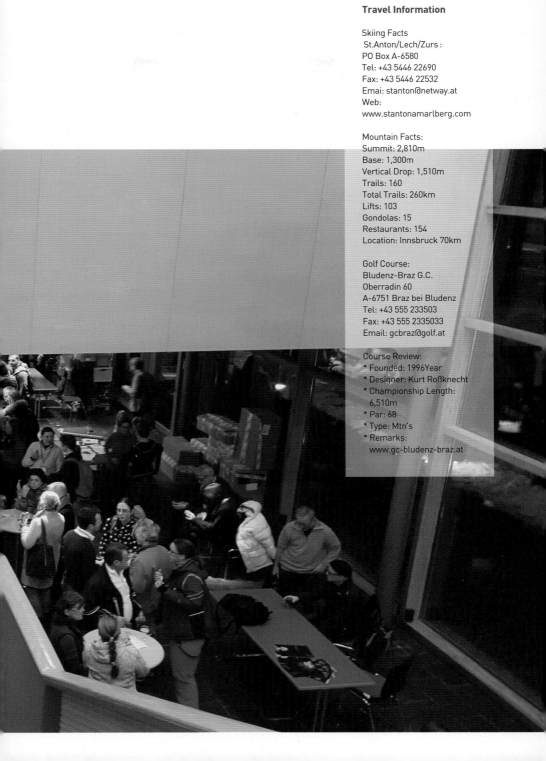

Travel Information

Skiing Facts
 St.Anton/Lech/Zurs :
PO Box A-6580
Tel: +43 5446 22690
Fax: +43 5446 22532
Emai: stanton@netway.at
Web:
www.stantonamarlberg.com

Mountain Facts:
Summit: 2,810m
Base: 1,300m
Vertical Drop: 1,510m
Trails: 160
Total Trails: 260km
Lifts: 103
Gondolas: 15
Restaurants: 154
Location: Innsbruck 70km

Golf Course:
Bludenz-Braz G.C.
Oberradin 60
A-6751 Braz bei Bludenz
Tel: +43 555 233503
Fax: +43 555 2335033
Email: gcbraz@golf.at

Course Review:
* Founded: 1996Year
* Designer: Kurt Roßknecht
* Championship Length:
  6,510m
* Par: 68
* Type: Mtn's
* Remarks:
  www.gc-bludenz-braz.at

생 안톤

산 정상과 마을의 시각적 콘트라스트와
카메라로 잡을 수 없는 대기의 알싸함이
내 마음에 고스란히 새겨진다

Austria 키츠뷔엘 Kitzbuhel

인구 8,000여 명의 자그마한 티롤 주 중부도시로 잘츠부르크나 인스브루크에서 지근거리에 있어 접근이 용이하고 열차나 버스로 이동이 가능하다. 시즌에는 직통열차가 운행된다.

생 안톤이 남성적이라면 키츠뷔엘은 아름다운 여성의 모습이다. 필자는 개인적으로 키츠뷔엘이 훨씬 호감을 느끼며 라이딩한 기억이 난다. 이곳은 초급자부터 상급자에 이르기까지 다양한 코스들이 많아 즐거움을 배가시켜준다. 이런 매력 때문에 두 번 방문하기도 했는데 슬로프가 넓고 우수한 설질은 물론 가다 보면 절벽의 Off-Piste 코스가 나오기도 하고, 활강할 만한 중급 코스들도 나타나 스키의 묘미를 느낄 수 있게 한다. 유럽의 많은 스키지역은 스키어들이 알 수 없는 위험한 곳도 많으나 키츠뷔엘은 우리나라 스키어들에게 적합한 스키장이 아닌가 한다.

인스브루크나 잘츠부르크에서 열차로 갈 경우, 중앙역이나 하넨캄 *Hahnenkamm* 역에 도착하는데 어느 역에 하차하더라도 셔틀버스가 하루 종일 스키장을 연결하므로 걱정할 필요는 없다.

2015년 월드 스키 어워즈 *World Ski Awards* 대상을 수상하여 세계 최고급 리조트로서의 명성을 떨쳤으며 2017년에는 발토랑스, 레이크 루이스와 더불어

World's Top 3에 선정되었다. 전장 215km, 80piste, 65곤돌라와 리프트, 도전적인 다이내믹한 코스와 Off-Piste, Bump Skiing 등 다양한 즐거움을 선사해준다. 스키지역은 주로 두 군데 지역으로 나뉘는데 하넨캄 지역과 키츠뷔엘러 호른*Kitzbuheler Horn* 지역으로 하루씩 번갈아 타면 각기 다른 스킹의 맛을 느낄 수 있다. 특히 하넨캄에서 열리는 FIS WORLD CUP 코스는 세계에서 손꼽히는 어려운 다운힐코스로 정평이 나있다.

오스트리아에서 헤르만 마이어 *Hermann Maier*와 같은 강심장의 세계적인 선수들이 계속 배출되는 이유가 이런 난코스에서 연습한 결과일지도 모르겠다.

www.kitzbuehel.com

Travel Information

Skiing Facts:
PO Box A-6370, Austria
Tel: +43 5356 621550
Fax: +43 5356 62307
Email: info@kitzbuehel.com
Web: www.kitzbuehel.com

Mountain Facts:
Summit: 2,000m
Base: 800m
Vertical Drop: 1,200m
Trails: 80
Total Trails: 215km
Lifts: 60
Gondolas/Cable Cars: 5
Restaurants: 55
Location: Ellmau 10km

Golf Course:
Golfclub Eichenheim
6370 Aurach bei Kitzbühel
Eichenheim 8
Österreich
Tel: +43 5356 6661 517
Fax: +43 5356 6661 515
Email: rezeption@eichheim.at

Course Review:
* Founded: 2001Year
* Designer: Kyle Phillips
* Championship Length:
  5.950m
* Par: 71
* Type: Woodland
* Remarks:
  www.eichenheim.at

Kitzbuhel

찬바람도 따뜻하게 느껴지는 곳
키스의 여운이 바람처럼
아, 젊은 날의 추억이여 !

키츠뷔엘

유럽의 많은 스키지역은 위험한 곳도 많으나
키츠뷔엘은 우리나라 스키어들에게 적합한 스키장이다

Austria 첼암제 Zell am See, 카프룬 Kaprun

오스트리아 알프스가 시작되는 첼암제, 카프룬 *Zell am See, Kaprun* 지역은 산과 호수, 빙하 관광 등 다양하게 즐길 수 있는 휴양지이다.

여름과 겨울 계절에 관계없이 등산, 자전거, 수영, 관광, 스키 등 산악 레저, 수상스포츠 등 체험 여행을 다양하게 즐길 수가 있다.

첼암제는 "호수 옆 마을"이란 뜻으로 인구 1만여 명이며 주도인 잘츠부르크에서 열차로 1시간 30분 정도 걸리고 시즌에는 직통열차가 운행되고 있다. 이곳에 가는 동안 차창 밖으로 순백의 나무들과 여러 산봉우리들을 맞이하는데 자연의 경이로움에 다시금 감사함을 느끼게 된다. 시골 냄새가 물씬 풍기는 작은 마을 첼암제 기차역에 도착하면 바로 "첼 *Zell*"호수가 보이는데 기차역에 붙어 있어 몇 걸음만 가도 얼어붙은 호수 위를 걸을 수 있다.

필자가 갔을 때에도 수많은 사람들이 모여 크로스컨트리 연습도 하고 한가로이 몇몇이 팀을 이뤄 여유롭게 트래킹 하는 모습들도 볼 수 있다. 시내가 작아서 한두 시간이면 시내 곳곳을 살펴볼 수 있다. 이곳은 다른 대규모 리조트와는 달리 슬로프 전체가 호수를 바라보며 스킹을 하는데 천혜의 그림 같은 환경은 어느 곳에서도 찾아보기는 쉽지 않을 것이다. 총 26Lifts, 29Piste, 수직 고도

1,242m *Zell am See*, 2,118m *Kaprun*, 총연장 77km의 위용을 나타낸다.

첼암제에서 차로 10분 정도 거리에는 연중 스키를 즐길 수 있는 카프룬 *Kapurun* 스키장이 있다. 카프룬 스테이션에서 3번의 트램과 곤돌라를 타고 오르면 정상인 해발 3,200m의 키츠스타인혼 *Kitzsteinhorn* 에 도착한다. 빙하 스키장으로 전망대에서 내려다보는 순백의 광경은 오스트리아 설산의 진수를 보여준다. 카프룬과 가까운 글로스 글로크너는 산악바이크의 성지로 유명하며 꼬불꼬불한 언덕길에서 그랑프리 대회가 열리기도 한다. 소도시에 공항도 있어서 편리하며 고즈넉한 이 마을은 아늑한 사계절 가족휴양지로 손색이 없으며 꼭 가볼 만한 리조트이다.

www.zellamsee-kaprun.com

Zell am See,
Kaprun

잘츠부르크,
5월 모차르트의 음악축제를 보고
스키를 타 볼까?

Travel Information

Skiing Facts Zell am See,
Kaprun :
PO Box A-5700,Austria
Tel: +43 6542 2600
Fax: +43 6542 2032
Email: zell@gold.at
Web: www.zellamsee.com

Mountain Facts:
Summit: 3,030m
Base: 755m
Vertical Drop: 2,275m
Trails: 82
Total Trails: 130km
Lifts: 56
Gondolas/Cable Cars: 8
Restaurants: 60
Location: Salzburg 60km

Golf Course:
Golfclub Zell am See Kaprun
Golfstraße 25
A-5700 Zell am See Austria
Tel: +43 6542 56161
Fax: +43 6542 5616116
Email: golf@zellamsee-kaprun.
at
Gourse Review:
* Founded: 1983Year
* Designer: Donald Harrdine
* Championship Length:
6,262m
* Par: 72
* Type: Parkland
* Remarks: www.golf-
zellamsee.at

Switzerland 베르비에 Verbier

스위스 남서부 발레주 *Valais*에 위치한 해발 1,500m에 위치한 조그만 산악마을로 전 세계에서 최고의 "Off-Piste" Resorts로 명성이 자자한 곳이다. 베르비에가 스위스 최고의 휴양지로 손꼽히는 이유는 주민이 친절하고 청결한 호텔과 쇼핑센터, 광활한 만년설의 고봉으로 연결된 절경의 풍광과 자연설의 천국 등 프리미어 *premiere* 리조트로서 손색이 없기 때문이다.

마을이 고봉으로 둘러싸여 포근한 느낌을 주고 몇몇 고지대는 연중 내내 눈으로 덮여있다. 주민은 3,000명도 안되지만 겨울 시즌에는 유럽관광객 등 40,000여 명이 모여든다. 불어권으로 모두 "봉쥬르" 한마디면 친구로 통한다.

베르비에의 거점공항은 제네바 *Geneva* 이다. 제네바에서 차로 2시간 정도 소요되며 열차로 가는 방법은 마르티니 *Martigny* 역에서 지역 열차 *Saint-Bernard Express*로 갈아타고 르 샤블르 *Le Châble* 역에서 하차하여 케이블카를 타고 오르면 베르비에 마을에 도착한다. 스키 시즌에는 제네바공항에서 베르비에행 미니 셔틀이 다닌다. 초행길이면 셔틀 이용을 권한다. 또한 낮에는 리조트 곳곳을 정기적으로 무료 셔틀이 운행한다. 베르비에 마을은 아기자기한 작은 타운으로 걸어보면 좋을듯하다.

베르비에 마을 *Verbier Village* 에서 몽포트 *Mont Fort* 정상의 해발 3,330m에 올라보면 몽블랑 *Mont Blanc massif*, 마테호른 *Matterhorn*, 덴블랑쉐 *Dent Blanche* 연봉이 한눈에 들어온다. 베르비에는 4개의 계곡 *4 Vallées* 을 따라 스키지역 *Nendaz, Veysonnaz, La Tzoumaz and Thyon* 이 형성되어 있으며 슬로프 총연장 410km의 위용을 자랑하는 세계적인 빅리조트이다.

매년 7월 말에서 8월 초에는 베르비에 페스티벌이 개최되며 1994년부터 시작된 이래 세계적인 음악제 페스티벌로 명성을 날리고 있다. 2014년 우승한 우리나라의 선우 예권은 이 콩쿠르의 유일한 한국 본선 참가자로서 최초로 우승했다.

www.verbierfestival.com

www.verbier.ch

베르비에

저 산아래에서는

"봉쥬르" 한마디면 친구로 통한다

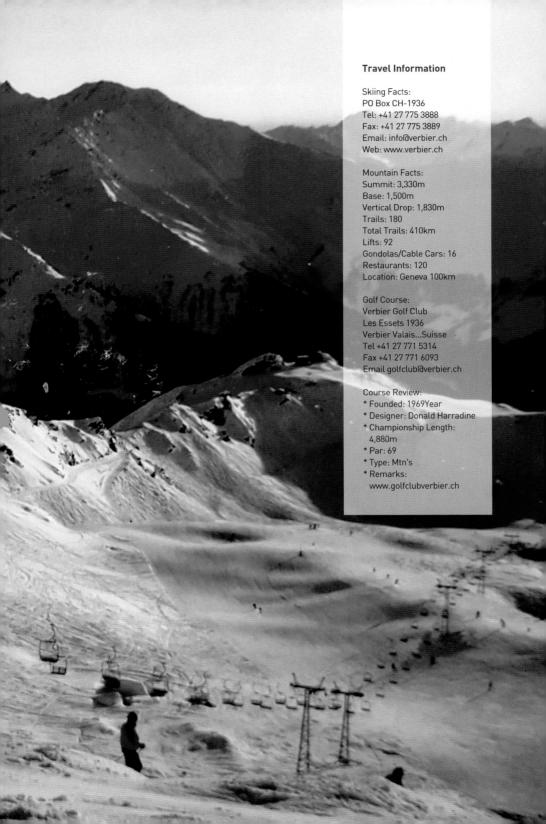

Travel Information

Skiing Facts:
PO Box CH-1936
Tel: +41 27 775 3888
Fax: +41 27 775 3889
Email: info@verbier.ch
Web: www.verbier.ch

Mountain Facts:
Summit: 3,330m
Base: 1,500m
Vertical Drop: 1,830m
Trails: 180
Total Trails: 410km
Lifts: 92
Gondolas/Cable Cars: 16
Restaurants: 120
Location: Geneva 100km

Golf Course:
Verbier Golf Club
Les Essets 1936
Verbier Valais...Suisse
Tel +41 27 771 5314
Fax +41 27 771 6093
Email golfclub@verbier.ch

Course Review:
* Founded: 1969Year
* Designer: Donald Harradine
* Championship Length:
  4,880m
* Par: 69
* Type: Mtn's
* Remarks:
  www.golfclubverbier.ch

슬로프 총연장 410km의 위용을 자랑하는
세계적인 빅리조트이다

Verbier

Switzerland 융프라우 Jungfurau

신이 빚어낸 또 하나의 알프스 보석이다. 이곳은 1912년 유럽에서 가장 높은 산악열차가 개통한 이래로 가장 높은 역 3,454m 인 융프라우요흐 정상까지 운행된다.

이곳 스키 마을의 중심지는 그린델발트 Grindelwald, 뮈렌 Murren, 벵엔 Wengen 휘르스트 First 등이며 인터라켄을 중심으로 알프스 산록을 끼고 발달하였다. 어느 마을에서나 해발 4,000m의 베르너 오버란트 Berner Oberland 의 눈 덮인 산을 볼 수 있으며 다양하고 광활한 풍광에 저절로 힐링이 된다.

인터라켄에서 등산철도 오스트역에서 6시 35에 첫차 에 올라 그린델발트 방향 열차뒷편 과 벵엔 방향 열차 앞편 으로 나뉘어 올라가는데 두 열차 모두 클라이네 샤이덱 Kleine Scheidegg 에서 만나게 된다. 이곳에서 계속 오르면 융프라우요흐 역에 도착한다. 역 플랫폼에서 리프트를 타고 스핑크스 전망대에 올라 알프스 산록을 360도 돌아보면 저절로 가슴이 뭉클해진다.

유럽 최정상의 레스토랑과 얼음 궁전, 유럽에서 가장 긴 알레치 빙하의 웅장함에 사로잡힌다. 알레치 빙하의 상부인 융프라우 설원에서는 스키나 스노보드 등 다양한 스포츠를 즐길 수도 있다. 내려갈 때는 마지막 열차가 오후 4시 30분

이니 막차 시간을 기억해두어야 한다. 1주일 정도 머무른다면 6일 철도 패스권 구입을 권한다. 한국대리점에서 구입하면 현지에서 구매하는 것보다 더 저렴하다.

스키는 주로 휘르스트 *First*, 클라이네 샤이덱 *Kleine Scheidegg*, 쉴트호른 *Schilthorn* 지역 등 코스가 다양하고 총 44Lifts, 77Piste, 213km를 자랑하며 가히 스키의 천국임을 다시 한 번 느낄 것이다.

www.grindelwald.ch

신이 빚어낸 또 하나의 알프스 보석 융프라우

이곳은 유럽에서 가장 높은 산악열차역으로 해발 3,454m인

융프라우요흐 정상까지 운행하며 스키 슬로프 총연장 213km를 자랑하는

광활한 스키 관광지이다

Jungfurau

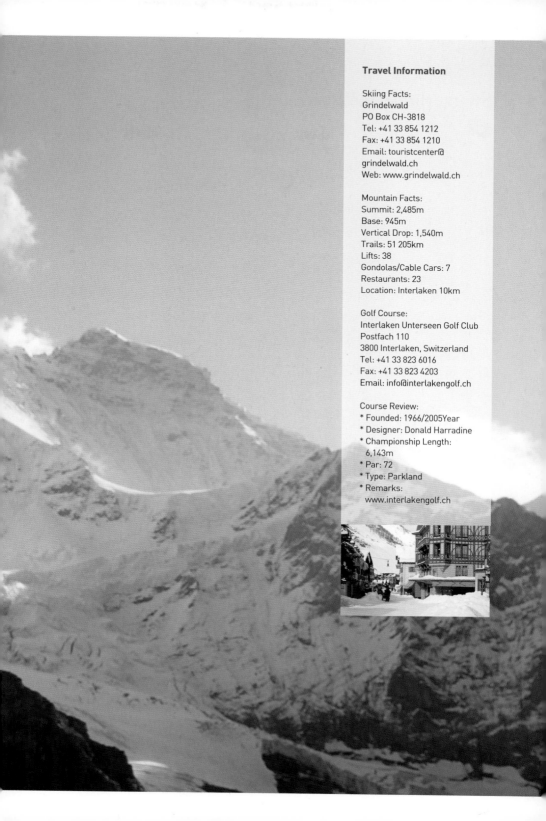

Travel Information

Skiing Facts:
Grindelwald
PO Box CH-3818
Tel: +41 33 854 1212
Fax: +41 33 854 1210
Email: touristcenter@
grindelwald.ch
Web: www.grindelwald.ch

Mountain Facts:
Summit: 2,485m
Base: 945m
Vertical Drop: 1,540m
Trails: 51 205km
Lifts: 38
Gondolas/Cable Cars: 7
Restaurants: 23
Location: Interlaken 10km

Golf Course:
Interlaken Unterseen Golf Club
Postfach 110
3800 Interlaken, Switzerland
Tel: +41 33 823 6016
Fax: +41 33 823 4203
Email: info@interlakengolf.ch

Course Review:
* Founded: 1966/2005Year
* Designer: Donald Harradine
* Championship Length:
  6,143m
* Par: 72
* Type: Parkland
* Remarks:
  www.interlakengolf.ch

Switzerland 체르마트 Zermatt

스위스 발레주 해발 1620m, 인구 6000여 명의 알프스 산록인 마테호른 산*Matterhorn, 해발 4478m* 기슭에 위치한 산악마을이다. 주민 대부분의 종교는 가톨릭교이며 독일어를 사용한다.

트래킹과 골프, 사계절 스키를 즐길 수 있는 곳으로 휘발유 차량은 통행이 불가하고 전기차나 마차, 도보로만 이동할 수 있다. 스키 코스는 크게 두 줄기로 수백 개 Piste를 타볼 수 있다.

마테호른 지역과 몬테로사 지역이 있는데 등산철도나 트램이 운행되고 있어 광활한 천혜의 멋진 풍경을 보면서 오를 수 있다.

첫 번째 추천코스로 클라인 마테호른*Klein Matterhorn*을 올라가 보자. 케이블카를 세 번 갈아 타고 정상에 오르면 온통 눈 덮인 광야가 펼쳐진다. 그 웅대함 속에 세계 각지에서 온 스키어들이 넘쳐난다. 이곳의 정상은 이탈리아와 접하고 있어서 여권을 소지해야하며 시간이 넉넉하면 이탈리아 체르비니아*Cervinia* 지역도 라이딩할 수 있다.

두 번째 코스는 체르마트 남동쪽 고르너그라트*Gornergrat* 코스를 권한다. 시내에서 아침 7시부터 운행하는 고르너그라트 열차*Gornergrat Bahn*를 타고 정상에 오르면 맞은편에 장엄한 형상의 마테호른과 마주한다. 마테호른을 바라보며 스키를 타다 보면 알프스 천혜의 절경과 웅장함을 느낄 것이다.

스위스에서
스키를 타고
이탈리아로
넘어가볼까?

체르마트는 "빙하특급열차 *Glacier Express*"가 출발하는 기점으로 생 모리츠까지 8시간에 걸쳐 천천히 이동하는데 수백 개 터널과 교량을 지나치며 알프스 산악의 진면목을 감상할 수 있다. 여름에도 고도가 높아 서늘한 편이며 9홀의 골프장도 있어서 낭만적인 시간들을 보낼 수가 있다. 또한 수네가 호수하이킹도 가볼만한 트래킹 지역이다. 체르마트 시내관광으로 꼭 가봐야 할 곳은 마테호른 박물관, 성마우리티우스 성당 등을 추천하며 마을 전체가 자연박물관이나 다름없다. 이 아름다운 명산은 등산가나 스키어에겐 가볼만한 필수코스이다.

www.zermatt.ch/en

53

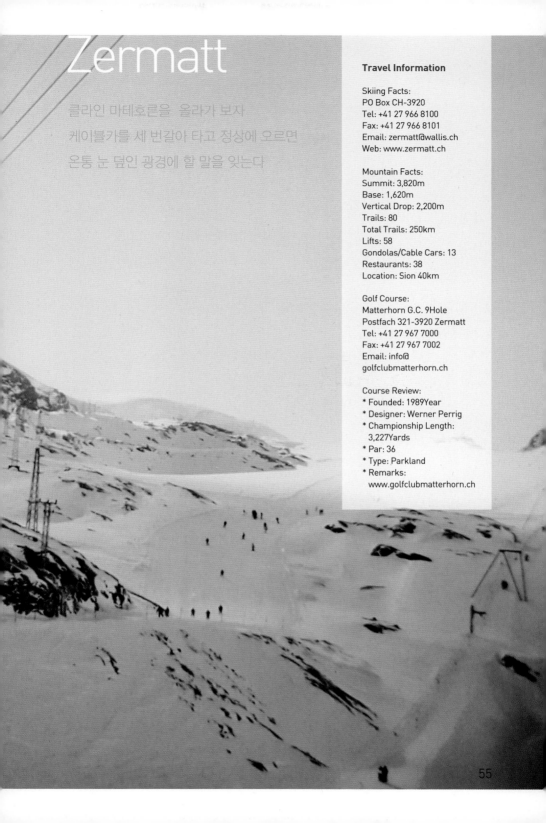

Zermatt

클라인 마테호른을 올라가 보자
케이블카를 세 번갈아 타고 정상에 오르면
온통 눈 덮인 광경에 할 말을 잊는다

Travel Information

Skiing Facts:
PO Box CH-3920
Tel: +41 27 966 8100
Fax: +41 27 966 8101
Email: zermatt@wallis.ch
Web: www.zermatt.ch

Mountain Facts:
Summit: 3,820m
Base: 1,620m
Vertical Drop: 2,200m
Trails: 80
Total Trails: 250km
Lifts: 58
Gondolas/Cable Cars: 13
Restaurants: 38
Location: Sion 40km

Golf Course:
Matterhorn G.C. 9Hole
Postfach 321-3920 Zermatt
Tel: +41 27 967 7000
Fax: +41 27 967 7002
Email: info@
golfclubmatterhorn.ch

Course Review:
* Founded: 1989Year
* Designer: Werner Perrig
* Championship Length:
  3,227Yards
* Par: 36
* Type: Parkland
* Remarks:
  www.golfclubmatterhorn.ch

체르마트

'파라마운트 픽처스'의 상징인 이 영산은
트래킹족과 스키어들의 열기에도 눈이 녹지 않는다

Switzerland 샤스페 Saas-Fee

인구 1,600명의 스위스를 대표하는 산악전원 마을이다. 이탈리아와 경계선에 있어서 과거에는 상인들도 많이 왕래하였고 18세기부터 등산가, 과학자들이 찾게 되었으며 가톨릭이 전파되어 학교, 호텔, 공공도로를 개설하면서 관광객들과 등산객들이 점차 모여들기 시작하였다. 특히 체르마트가 유명해지면서 더욱 알려지게 되었다.

샤스페는 광활한 알프스의 절경을 볼 수 있는 최적의 관광지이며 정상 부근에는 해발 4,000m 급의 고봉으로 알라리호른Allalihorn, 알프후벨Alphubel, 돔 Dom 등으로 둘러싸여 있다. 샤스페는 해발고도 1,800m의 자그마한 리조트이지만 레스토랑, 호텔, 스키학교, 나이트클럽, 박물관 기타 스포츠 문화시설이 잘 갖추어져 있다.

샤스페 베이스에서 케이블카를 타고 오르면 펠스킨Felskin 에 도착한다. 다시 이곳에서 지하 갱도 철도를 타고 오르면 세계 최고봉에 위치한 회전식 레스토랑인 미텔알라린Mittel Allalin 에 도착한다. 미텔알라린 레스토랑해발 3,500m 을 나와 몇 걸음 가면 알프스의 광활하고 웅장함에 알프스의 진주 The Pearl of the Alps 라는 말을 실감하게 된다. 이곳의 정상인 알라리호른Allalihorn 지역은 빙하지역으로 섬머스키도 가능하여 전 세계에서 관광객이 몰려들고 스키 선수나 마니아들이 연습장소로 많이 찾으며 활강과 대회전은 물론 스노보드 하프파이프 코스도 잘 되어있다.

스키장 아래쪽에서 정상을 바라보면 장엄한 알라린 호른 *Allalin Horn* 의 위엄이 느껴진다. 마을 방향으로 내려가는 중간에 Bump Skiing도 여러 곳에서 즐길 수가 있는데 하강시 옆에 절벽이 있으니 조심해야 한다. 또 다른 추천코스는 사스 그룬트 *Saas-Grund* 에서 케이블카를 타고 오르면 크로이츠보덴 *Kreuzboden* 에서 다양한 코스의 진미를 맛볼 수 있다.

체르마트 *Zermatt* 나 브리크 *Brig* 에서 출발할 때는 중간역인 비스프 *Visp* 에서 내려 30분 간격으로 운행하는 샤스 페행 정기 셔틀을 이용하면 편리하다.
www.saas-fee.ch

Saas-Fee

샤스페 베이스에서 케이블카를 타고 오르면 펠스킨에 도착한다.
다시 이곳에서 지하 갱도 철도를 타고 오르면 세계 최고봉에 위치한
회전식 레스토랑인 미텔알라린에 도착한다.
해발 3,500m에 있는 미텔알라린 레스토랑을 나와 몇 걸음 가면
가히 알프스의 광활하고 웅장함에 '알프스의 진주'라는 말이 거짓이
아님을 느끼게 된다.

Travel Information

Skiing Facts:
PO Box CH-3906
Tel: +41 27 958 1858
Fax: +41 27 958 1860
Email: to@saas-fee.ch
Web: www.saas-fee.ch

Mountain Facts:
Summit: 3,620m
Base: 1,800m
Vertical Drop: 1,820m
Trails: 50
Total Trails: 100km
Lifts: 21
Gondolas/Cable Cars: 6
Restaurants: 32

Golf Course:
Leuk G.C.
CH-3952 Susten
Tel: +41 27 473 6161
Fax: +41 27 473 6163
Email: info@golfleuk.ch

Course Review:
* Founded: 1996Year
* Designer:
  John Chilver-Stainer
* Championship Length:
  6,109m
* Par: 72
* Type: Mtn's
* Remarks: www.golfleuk.ch

Switzerland 생 모리츠 St Moritz

스위스 남동부 그라우뷘덴주 *Graubunden* 에 속하며 인구 6,000명, 해발 1,820m에 위치한 고급 휴양지로 엥가딘 계곡으로 둘러싸여 있으며 동부 알프스의 보석인 베르니나 봉*해발 4,050m* 이 우뚝 서있다. 등반하다 보면 낭만적인 보발 *Vobal* 산장, 디아볼레자 *Diavolezza* 기차역과 고즈넉한 산장 등이 마주한다. 1864년 세계 최초로 스키리조트가 오픈되었고 과거 영국 부호들이 찾으면서 고급 휴양지로 소문나면서 세계 저명인사들이 찾아오기 시작하였다.

겨울 알프스의 수도답게 제2회 *1928년*, 제5회 *1948년* 동계올림픽을 개최하였으며 연중 내내 다양한 국제문화축제가 열린다. 알프스의 유명 휴양지답게 아름다운 호수 주변에는 특급호텔이 즐비하며 여름에는 온천 스파나 골프, 섬머스키, 하이킹, 요트, 승마 등을 즐길 수 있으며 겨울에는 스키와 스노보드, 호수 설상 경기, 크로스컨트리 등 다양한 레포츠를 즐길 수가 있다.

주요 축제로는 크로스컨트리 마라톤, 윈터 골프, 눈조각 페스티벌과 전 세계적으로 유명한 생 모리츠 화이트 터프 *White Turf* 대회가 열리는데 역사가 깊다. 이 대회는 1907년 시작되어 110년 된 역사 깊은 대회로 2월 초부터 3주간 매주 일요일에 개최된다. 얼어붙은 호수에서 벌어지는 다양한 설상 경주로 세계 각지에서 관광객이 몰려든다.

생 모리츠의 주요 스키지역으로는 동쪽의 코르비글리아 *Corviglia*, 마르 쿤스

1864년
세계 최초로
스키리조트가
오픈된 곳~
지금도 세계최고의
휴양지로 유명하다

Credit the pictures: swiss-image.ch/Christof Sonderegger

Marguns 와 코르 바츠*Corvatsch* 지역으로 총연장 350km나 된다. 취리히에서 출발할 경우 베르니나 특급*Bernina Express* 을 타고 쿠어 *Chur* 에서 생 모리츠행 열차로 갈아타면 된다. 1983년 세계문화유산으로 지정된 성 요한 베네딕토 수도원, 엥가딘 박물관, 세간티니 미술관, 마이엔 펠트 근교의 하이디 마을 *Heidi's village* 도 둘러보자. "빙하특급열차"의 기점인 이곳은 생 모리츠 엥가딘 *Engadin* 을 출발하여 체르마트*Zermatt* 까지 횡단하는 노선으로 6개 국어로 안내방송이 나온다. 생 모리츠는 취리히에서 200km로 자동차로 가면 약 3시간 정도면 도착이 가능하다.

www.stmoritz.ch

Travel Information

Skiing Facts:
PO Box CH-7500
Tel: +41 81 837 3333
Fax: +41 81 837 3377
Email:
information@stmoritz.ch
Web: www.stmoritz.ch

Mountain Facts:
Summit: 3,300m
Base: 1,730m
Vertical Drop: 1,570m
Trails: 88
Total Trails: 350km
Lifts: 57
Gondolas/Cable Cars: 5
Restaurants: 51
Location: Chur 48km

Golf Course:
Engadin G.C.
A l'En 14 CH-7503, Samedan,
Graubunden, Swiss
Tel: +41 81 851 0466
Fax: +41 81 851 0467
Email:
samedan@engadin-golf.ch

Course Review:
* Founded: 1889Year
* Designer: Les Furber
* Championship Length:
  6,217m
* Par: 72
* Type: Mtn's
* Remarks:
  www.engadin-golf.ch

St Moritz

Credit the pictures: swiss-image.ch/Romano Salis

France 샤모니 몽블랑 Chamonix

동계스포츠의 본산으로 1893년 스키장 개장 이래 다양한 스포츠의 메카로 발전하여 왔으며 세계문화유산으로 지정되었다. 1924년 제1회 동계올림픽을 개최하였고 1960년에는 동계 유니버시아드대회가 열린 곳이다. 알피니즘의 발상지이자 몽블랑 등정의 전초기지인 샤모니 *해발 1,035m* 계곡은 꼴데 발마 *Colde Balme* 에서 꼴데 보자 *Colde Voza* 까지 장장 23km에 걸쳐 긴 계곡마을을 형성한다.

겨울에는 스키나 스노보드, 크로스컨트리, 빙벽등반을 즐기러 많은 스포츠 마니아들이 방문하며 여름에는 승마, 하이킹, 산악바이크, 클라이밍, 골프 등을 즐기러 많은 관광객이 방문한다.

에귀디미디 전망대 로프웨이는 세계 최고의 명물이 되었으며 시내 동북부 부셰 *Bouchet* 능선에서 바라보는 몽블랑의 절경은 관광객들을 사로잡는다. 유럽 최고봉인 몽블랑 *해발 4,807m* , 에귀베르트 *해발4,127m* 가 우뚝 서있으며 샤모니 주변에는 5개의 스키 에어리어가 있다. 모험을 좋아하는 스키어나 클라이머는 대부분 해발 3,842m의 에귀디미디 *Auguille Du midi* 전망대에 오르는데 이탈리아와 프랑스의 경계지역으로 이탈리아로 넘어갈 수도 있으며 몽블랑 정상을 지척에서 바라볼 수 있다. 이 전망대에서 출발하는 세계 최장의 발레 블랑슈 코스를 꼭 라이딩해보길 권하며 전문가와 동행해야 하므로 하루 전에 스키투어 예약을

세계 최장의 발레 블랑슈 코스를 라이딩해보길 권하며
전문가와 동행해야 하므로 하루 전에 예약해야 한다

해야 한다.

1주일 정도 스케줄을 잡아 샤모니 곳곳을 다녀보는
것도 좋을 듯하다. 교통거점은 스위스 제네바이며
이곳에서 수많은 스키장행 버스들이 대기하고 있
다. 제네바공항이나 역 앞에서 샤모니 직통버스가
출발한다.

www.chamonet.com

샤모니 몽블랑을 소개한
L'ILLUSTRATION 잡지
1926. 1월 발행

위에서 보면 절벽과 다름아닌

발레블랑슈 출발지점

초보자는 꼭 안전줄로 연결해야 한다

샤모니 몽블랑

Chamonix

수많은 클라이머와 스키어들이 몰려드는
샤모니 몽블랑은 웅장함, 그 자체이다

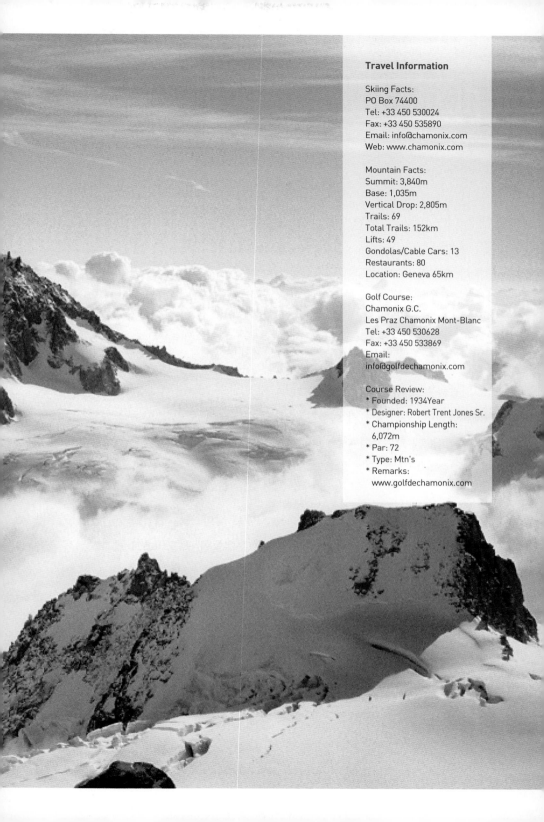

Travel Information

Skiing Facts:
PO Box 74400
Tel: +33 450 530024
Fax: +33 450 535890
Email: info@chamonix.com
Web: www.chamonix.com

Mountain Facts:
Summit: 3,840m
Base: 1,035m
Vertical Drop: 2,805m
Trails: 69
Total Trails: 152km
Lifts: 49
Gondolas/Cable Cars: 13
Restaurants: 80
Location: Geneva 65km

Golf Course:
Chamonix G.C.
Les Praz Chamonix Mont-Blanc
Tel: +33 450 530628
Fax: +33 450 533869
Email:
info@golfdechamonix.com

Course Review:
* Founded: 1934Year
* Designer: Robert Trent Jones Sr.
* Championship Length:
  6,072m
* Par: 72
* Type: Mtn's
* Remarks:
  www.golfdechamonix.com

France 발토랑스 Val Thorens & 뜨와발레 Les 3 Vallées

세계 최고의 휴양지 발토랑스 *Val Thorens*, 이곳은 오스트리아 키츠뷔엘 *Kitzbuhel* 과 더불어 최근 세계 최고의 리조트이다.

2013년부터 전 세계 2000여 스키리조트를 대상으로 설문조사를 실시한 결과 월드 스키어 워즈 *World Ski Awards* 에서 3번 *2013, 2014, 2016* 에 걸쳐 최고리조트의 영광을 누렸다. 총 32Lifts, 78Pistes, 수직 고도 930m, 총연장 140km의 위용을 뽐낸다. 유럽에서 가장 높은 고지 *해발 2300m* 에 위치한 발토랑스는 쿠슈벨, 메리벨, 레 므뉘르와 더불어 세계 최대의 스키지역인 뜨와발레 *Les 3Vallées* 를 구성한다.

프랑스 스키협회는 스위스 생 모리츠를 모델로 삼아 근대적인 스키장을 만들려고 상당한 노력을 하였다. 왜 세계 최고의 부호들이 생 모리츠로 몰려드는지를 파악한 그들은 수많은 분석을 통해 메제브 스키장부터 시도하였고 장 클로드 낄리를 위시한 지도층의 노력으로 발토랑스를 비롯한 세계 최고의 스키 벨트를 만들어 냈고 그 결과 현재는 세계 최대의 관광객을 끌어들이는 뜨와발레 *3Valley* 라는 엄청난 시너지를 만들어 냈다.

발토랑스 정상에 올라 알프스 연봉을 바라본 360도 파노라마 절경은 어느 곳에서도 비교할 수 없는 장관이라 하겠다. 저 멀리 샤모니 몽블랑도 눈에 들어온

다. 이곳은 빙하 스키장으로 연중 내내 스킹이 가능하며 알프스 전통 목조건물
인 샬레풍의 건물들이 자연과 하나 되어 감동을 준다.

뜨와발레 *3Valley* 는 리프트들이 스키장마다 서로 연결이 되어 있다. 에스파스킬
리 *Espace Killy*, 파라디 스키 *Paradi-Ski* 지역과 더불어 1992년 알베르빌 동계올
림픽을 개최하였다. 뜨와발레 전체 규모는 180Lifts 총연장 600km로 이탈리아
돌로 미티 *Dolomiti* 지역과 더불어 세계 최대의 스키지역으로 널리 알려져 있다.
쿠슈벨지역은 프랑스 최초로 만든 스키장으로 역사가 깊은 곳이다. 시즌에는
호텔이 비싼 편이므로 숙박비와 기타 부대 비용을 참조해야 한다.

www.valthorens.com

Val Thorens &
Les 3 Vallées

Travel Information

Skiing Summary
3 Valley Skiing Facts
Summit: 3,230m
Base: 1,300m
Vertical Drop: 1,930m
Total Trails: 600km
Lifts: 200EA

발토랑스 Val Thorens
PO Box 73440
Tel: +33 479 000808
Fax: +33 479 000004
Email: valtho@valthorens.com
Web: www.valthorens.com

Mountain Facts:
Summit: 3,230m
Base: 1,800m
Vertical Drop: 1,430m
Trails: 69
Lifts: 21
Gondolas/Cable Cars: 7
Restaurants: 60
Location: Chambery 69km

Golf Course:
Meribel G.C.
BP 54-73550 Meribel
Tel: +33 479 005267
Fax: +33 479 003885
Email: info@golf-meribel.com

Course Review:
* Founded: 1966Year
* Designer: G. Watine
* Championship Length:
  5,538m
* Par: 71
* Type: Mtn's
* Remarks:
  www.golf-meribel.com

France 발디제르 Val d'Isere, 티뉴 Tignes

전 세계에서 가장 아름다운 스키장 중의 하나로 손꼽힌다. 그 이유는 스킹과 더불어 아늑한 휴식을 즐길 수 있는 몇 안 되는 매혹적인 장소이기 때문일 것이다.

1968년 그레노블 Grenoble 동계올림픽의 영웅이자 필자의 멘토인 장 클로드 킬리 Jean Claude Killy 의 고향이기도 하다. 그의 올림픽 제패 기념으로 두 스키장을 통합하여 1972년에 에스파스 킬리 Espace Killy 로 명명하였다.

99Lifts, 250Pistes, 총연장 300km로 이곳을 포함한 사부아 Savoie 주 알베르빌 Albertville 지역에서 1992년에 제16회 동계올림픽이 개최되었다.

티뉴는 해발 2,100m로 올림픽 프리스타일 경기가 열렸고 Apres-ski로 그윽한 와인도 즐기고 매혹적인 야경을 보며 산책도 해봄직하다. 타향의 스키어들과 어울려 교제하면서 이 마을의 정취를 한껏 느껴 보면 좋겠다. 티뉴의 밤은 영원히 잊지 못할 추억이 될 것이다.

그랑드 모뜨 Grande Motte, 3,456m 지역은 빙하지형으로 연중 내내 스킹이 가능하며 소박한 이 알프스 산골마을 주민들의 순수함이 마음을 편하게 한다.

발디제르는 해발 1,850m로 알파인 경기 활강가 개최되었으며 수직 고도 915m, 최대 경사 65%로 고난도를 자랑한다.

이곳은 1968년 그레노블
동계올림픽의 영웅이자
필자의 멘토인
쟝 끌로드 낄리의 고향이다

그의 올림픽 제패 기념으로
두 스키장을 통합하여
1972년에 에스파스 낄리로
명명하게 된다

Grand Pissaillas 빙하지역도 연중 내내 스키를 탈수가 있다. 이웃한 발토랑스
Val Thorens 나 뜨와발레 *Trois Vallee* 에 비해 슬로프가 넓은 편이라 스킹이 편하다.
이곳은 쇼핑센터, 카페 보랑쉐등 편의시설이 잘 되어있고 겨울 산장의 아늑한
느낌을 맛볼 수 있다. 교통편은 리용이나 제네바에서 열차나 버스로 이동할 수
있으며 리용이나 제네바공항에서 직통버스로 3시간 반이면 도착이 가능하다.
www.valdisere.com / www.tignes.net

발디제르

Val d'Isere, Tignes

티뉴와 형제 같은 느낌을 주는 발디제르-

이 넓은 슬로프에서 이방인들과 함께 스키를 즐겨보자

Travel Information

Skiing Summary:
Summit: 3,550m
Base: 1,550m
Vertical Drop: 2,000m
Total Trails: 300km
Lifts: 98EA

발디제르 Val d'Isere
PO Box 73155
Tel: +33 479 060660
Fax: +33 479 060456
Email: info@valdisere.com
Web: www.valdisere.com

Mountain Facts:
Summit: 3,550m
Base: 1,850m
Vertical Drop: 1,700m
Trails: 124
Lifts: 45
Gondolas/Cable Cars: 6
Restaurants: 70

티뉴 Tignes
PO Box 73321
Tel: +33 479 400440
Fax: +33 479 400315
Email: information@tignes.net
Web: www.tignes.net

Mountain Facts:
Summit: 3,455m
Base: 1,550m
Vertical Drop: 1,905m
Trails: 125
Lifts: 43
Gondolas/Cable Cars: 4
Restaurants: 78
Location: Chambery 85km

Golf Course:
Golf de Tignes
Le Val Claret
73320 TIGNES
Tel: +33 479 063742
Fax: +33 479 066020
Email: golf.tignes@
compagniedesalpes.fr

Course Review:
* Founded: 1968Year
* Designer: Bill Baker, Vallant
* Championship Length:
  4,830m
* Par: 68
* Type: Mtn's
* Remarks: www.tignes.net

France 라쁠란느, 레자크 La Plagne, Les Arcs

라쁠란느, 레자크 *La Plagne, Les Arcs* 지역은 파라디 스키 *Paradi-Ski* 라 부르며 사부아 *Savoie* 주의 세지역 *La Plagne, Peisey-Vallandy, Les Arcs* 을 통합하여 부르는 이름이다.

스키장 별로 무료 셔틀버스시스템도 잘 되어있고 마을에서 리프트 정류장까지 자주 운행하고 있다. 라쁠란느, 레자크 스키장 사이에는 2003년 건설된 200명 수용의 바노이즈 익스프레스 *Vanoise Express* 라 불리는 총연장 1.82km의 2층 케이블카와 수많은 리프트를 서로 연결하여 고객 편익을 제공하고 있다.

1992년 알베르빌 동계올림픽경기 중 라쁠란느 지역에서는 루지와 스켈레톤 경기가 열렸고 레자크에서는 활강경기가 개최되었다.
파라디 스키지역은 총 207Lifts, 수직 고도 2,050m 슬로프 총연장 425km로 이탈리아 셀라 론다 *Sella Ronda, 총 460km* 와 비교되기도 한다.
라쁠란느는 리용이나 제네바공항에서 3시간 정도 소요되고 단일 스키장 규모로는 세계 최대 규모의 스키지역 중 하나이다.
라쁠란느의 센터는 해발 1,970m에 위치하며 스키베이스로 Plagne Centre *1,970m*, Plagne 1,800 *1,800m*, Plagne Village/Soleil *2,050m*,

Plagne Aime 2,000 *2,100m* , Plagne Bellecote *1,930m* , Belle Plagne *2,050m* ,
Champagny-En-Vanoise *1,250m* , Montchavin La Plagne *1,250m* , Plagne
Montalbert *1,350m* 등 총 10여 개 지역에 산재해있다.

스키지역은 남사면과 북사면으로 거대한 스키 벨트를 형성하고 있으며 북사
면의 스키베이스인 Plagne Centre *1,970m* 를 중심으로 슬로프가 잘 발달되
어 있고 정상에 가려면 산봉우리 두 개를 넘어야 하는 광활한 스키지역이다.
슬로프 총연장 225km, 134Pistes, 정상 고도 3,250m, 수직 고도 2,000m에
달하는 광활한 지역이며 *60%*가 넘는 고난도의 Off-Piste Ski Area도 스위스
베르비에 *Verbier* 와 비교되는 세계적인 스키리조트이다.
www.la-plagne.com
www.lesarcs.com

La Plagne

광활한 라쁠란느 정상의 풍광처럼
빌리지 센터도 웅장한 모습니다

Travel Information

라쁠란느 La-Plagne
Skiing Facts:
BP62,F-73211,
Aime,Cedex
Tel: +33 479 097979
Fax: +33 479 097010
Web: www.la-plagne.com

Mountain Facts:
Summit: 3,250m
Base: 1,250m
Vertical Drop: 2,000m
Trails: 134
Total Trails: 225km
Lifts: 111
Gondolas: 8
Restaurants: 95
Location: Champagny 6km

레자크 Les Arcs
Skiing Facts:
F-73706,
Arc 1800,Savoie
Tel: +33 479 071257
Fax: +33 479 074596
Emai: lesarcs@lesarcs.com
Web: www.lesarcs.com

Mountain Facts:
Summit: 3,225m
Base: 1,580m
Vertical Drop: 1,646m
Trails: 112
Total Trails: 150km
Lifts: 74
Gondolas: 6
Restaurants: 70
Location: Villaroger 5km

Golf Course:
Golf des Arcs
Chalet des Villards,
73700 Arcs 1800
Tel: +33 479 074395
Fax: +33 479 074008
Email: info@golf-des-arcs.fr

Course Review:
* Founded: 1968Year
* Designer: M.Berthet
* Championship Length: 5,560m
* Par: 68
* Type: Parkland
* Remarks:
  www.lesarcs.com/golf

France 알프듀에즈, 레두잘프 Alpe d'Huez, Les 2 alpes

론 알프스 지역에 위치한 알프듀에즈는 1930년대에 프랑스에서 샤모니에 이어 두 번째로 오픈한 역사가 깊은 곳이다. 쿠슈벨과 3벨리가 개발되기 전에는 유명세를 누리기도 한 스키지역이다. 1968년 동계올림픽 알파인경기가 열린 곳으로 프랑스 스키 영웅 '쟝 끌로드 낄리'가 3관왕을 차지한 곳으로 널리 알려져 있다.

가장 긴 슬로프 사헨느 La Sarenne 슬로프는 전장 16km, 고도차 2,210m의 유럽 최고의 코스 중 하나이며 정상 픽 블랑 Pic Blanc 에서 조금 내려오면 상당히 긴 터널 슬로프로 이어지는데 터널 끝을 나오면 익사이팅 한 급경사의 절벽 코스를 마주한다. 상급자 전문코스로 스키어들에게 널리 알려져 있으며 즐기는 코스로 유명하다. 알프듀에즈는 Off-Piste 지역의 Back Country Skiing도 유명한데 그랜드 샤브라 빙하 le Glacier du Grand Sablat 코스는 2시간 정도 라이딩할 수도 있다.

리용에서 2시간 반 거리에 있다. 그레노블에서는 63km로 1시간 거리이며 그레노블 지역에서 레두잘프 Les 2 alpes 와 더불어 쌍벽을 이룬다.

www.alpedhuez.com

레두잘프는 "두 개의 산"이란 뜻으로 알프듀에즈에서 자동차로 50분 거리에 있다. 알프듀에즈와 고도 *해발 1,600m* 는 비슷하지만 햇볕을 등지고 타기 때문에 알프듀에즈에 비해 상당히 춥게 느껴진다. 정상은 해발 3,600m로 상당한 고저차를 나타내 숨이 벅차기도 한다. 레두잘프 빙하에서는 여름 스키도 즐길 수 있어서 전 세계에서 전지훈련하러 많이 온다. 빌리지는 스키장까지 무료 셔틀이 다니고 영화관, 게임장도 있고 4성급의 Chalet Mounier 등 샬레풍의 호텔들로 넘치며 맛있는 바게트 빵집 *Le Chat Gourmand* 은 방문객들로 하여금 매력을 끈다.

알프듀에즈에서 리프트 6일권을 끊으면 2일은 레두잘프에서 스키를 무료로 탈수가 있다. 2018년에는 두 개의 스키장이 케이블카로 연결될 예정이다. 슬로프 총연장 470km로 에스파스 킬 리 *300km* 를 뛰어넘는 광활한 도메인 지역이 될 것이다.

www.les2alpes.com

Travel Information

알프듀에즈(Alpe d'Huez)
Skiing Facts:
BP28,F-38750 Alpe d'Huez,
Dauphine
Tel: +33 476 803541
Fax: +33 476 806954
Email: info@alpedhuez.com
Web: www. alpedhuez.com

Mountain Facts:
Summit: 3,330m
Base: 1,120m
Vertical Drop: 2,210m
Trails: 116
Total Trails: 230km:
Lifts: 85
Gondolas/Cable Cars: 14
Restaurants: 92
Location: Grenoble 63km

레두잘프(Les Deux Alpes)
Skiing Facts:
BP7,F-38860 Les Deux Alpes,
Dauphine
Tel: +33 476 792200
Fax: +33 476 790138
Email: leszalp@les2alpes.com
Web: www.les2alpes.com

Mountain Facts:
Summit: 3,570m
Base: 1,300m
Vertical Drop: 2,270m
Trails: 70
Total Trails: 200km
Lifts: 58
Gondolas/Cable Cars: 9
Restaurants: 72
Location: Grenoble 70km

Golf Course:
Golf International de
Grenoble Bresson
Route de Montavie
38320 Bresson, France
T +33 476 736500
F +33 476 736551
Email: accueil@golfbresson.com

Course Review:
* Founded: 1921/1990
* Designer: Robert Trent Jones Jr.
* Championship Length: 6,821yards
* Par: 73
* Type: Woodland
* Remarks: www.golfbresson.com

Alpe d'Huez

Germany 가르미슈-파르텐키르헨 Garmisch-Partenkirchen

가르미슈는 독일 남부 바바리아 바이에른주에 속한 휴양도시로 인구 2만 6,000여 명의 조그만 산악도시이다. 서부의 가르미슈와 동부의 파르텐키르헨으로 분리되어 있었으나 행정구역 상 통합되어 가르미슈-파르텐키르헨으로 불리게 되었으며 1935년에 시로 승격되었다.

독일에서 가장 높은 장엄한 만년설의 츄크슈피체 *2,960m* 기슭에 있다. 1936년 동계올림픽을 개최하였고 우리 선수도 이 대회에 처음으로 참가하였다. 올림픽 스키 점프대와 긴 협곡을 따라 파트나흐클람 *Partnachklamm* 트래킹도 해볼만하다. 깎아지른 듯한 협곡을 가다 보면 자연의 웅장함에 다시금 놀라게 된다. 스키는 주로 알프스피츠 *Alpspitz* 지역과 독일 알프스 최고봉인 츄크슈피체 *Zugspitze* 에서 즐길 수 있는데 해발 2,960m에서 라이딩하는 것을 상상하면 짜릿함을 느끼게 된다. 츄크슈피체 정상에는 전망대. 레스토랑, 휴게시설 등 편의시설이 잘 구비되어 있다.

가르미슈-파르텐키르헨 역에서 츄크슈피체행 열차가 하루에 10여 회 운행하고 있으며 뮌헨에서 기차로 가르미슈-파르텐키르헨 역까지 한 시간 반이면 도착한다.

고요한 이 도시를 걷다 보면 마치 고향에 온 느낌의 평안함을 준다. 한나절이면 시내 한 바퀴를 돌 수가 있다. 다양한 벽화와 생 마르틴 구성당 *Old Church of St. Martin*, 생 안톤 교회 *St. Anton Church* 등 아름다운 교회가 우뚝 서있으며 낭만적인 독일 알프스의 진수를 느낄 수 있다. 매년 1월에는 "알프스 교향곡"을 작곡한 리하르트 슈트라우스 *Richard Strauss* 를 기념한 음악회가 개최된다. 레포츠도 다양하게 발달되어 있어 스키, 골프, 트래킹 등을 다양하게 즐길 수가 있다.

www.garmisch-partenkirchen.de

Garmisch-
Partenkirchen

1936년 동계올림픽을 개최한 장소이며
우리 선수도 이 대회에 처음으로 참가하였다

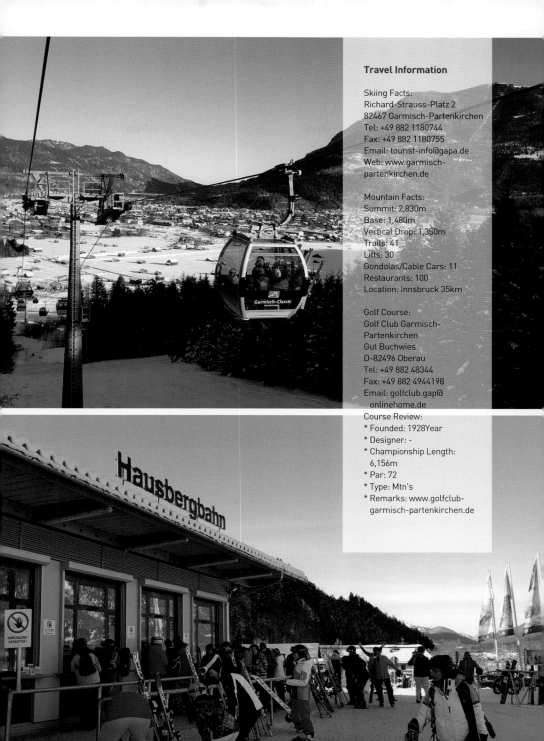

Travel Information

Skiing Facts:
Richard-Strauss-Platz 2
82467 Garmisch-Partenkirchen
Tel: +49 882 1180744
Fax: +49 882 1180755
Email: tourist-info@gapa.de
Web: www.garmisch-
partenkirchen.de

Mountain Facts:
Summit: 2,830m
Base: 1,480m
Vertical Drop: 1,350m
Trails: 41
Lifts: 30
Gondolas/Cable Cars: 11
Restaurants: 100
Location: Innsbruck 35km

Golf Course:
Golf Club Garmisch-
Partenkirchen
Gut Buchwies
D-82496 Oberau
Tel: +49 882 48344
Fax: +49 882 4944198
Email: golfclub.gap@
  onlinehome.de
Course Review:
* Founded: 1928Year
* Designer: -
* Championship Length:
  6,156m
* Par: 72
* Type: Mtn's
* Remarks: www.golfclub-
  garmisch-partenkirchen.de

Germany 오베르스트도르프 Oberstdorf

독일 남부 바바리아주 *Bavaria* 에
속한 인구 10,000여 명의 자그마한 산
악도시로 해발 813m, Allgäu 지역에
위치하며 스키나 하이킹 도시로 유명
하다.

오베르스트도르프 *Oberstdorf* 는 스키점프 월드컵 대회로 명성을 날리고 있다.
1970년, 독일의 유명한 스키점프 선수이자 설계가인 Heini Klopfer를 기리기
위하여 그의 이름을 따서 명명한 스키점프 시설 *Heini-Klopfer-Skiflugschanze*
은 독일 최초로 1950년에 오픈하였으며 가르미슈−파르텐키르헨 *Garmisch-*
Partenkirchen 과 더불어 세계적인 월드컵 대회 개최 장소로 자리 잡았다.

스키는 주로 3곳으로 나뉘는데 네벨혼 *Nebelhorn* 지역과 펠혼 *Fellhorn* 지역, 솔
러렉 *Söllereck* 지역이며 네벨혼 *Nebelhorn* 지역과 펠혼 *Fellhorn* 지역이 광대한
지역으로 이 두 곳에서 스키타는 것이 좋다.
대형 케이블카 *Nebelhornbahn* 를 두 번 갈아타고 해발 2,224m의 네벨혼
Nebelhorn 에 올라가 보자. 정상에 오르면서 펼쳐지는 멋진 알프스 파노라마에
가슴이 확 트여진다.
반대편의 해발 2,038m의 펠혼 *Fellhorn* 정상도 훤히 보이고 오스트리아 국경
너머도 잘 보인다. 펠혼 *Fellhorn* 지역은 오베르스트도르프 *Oberstdorf* 에서 가장

넓은 스키지역으로 다양한 슬로프가 잘되어 있어 엄청난 스키어들이 몰려든다.

오베르스트도르프 도시의 분위기는 적막하면서도 랜드 마크로 불리는 아름다운 성당Roman Catholic Church 이 도시 중심에 우뚝 서있으며 주변 상가가 잘 조화로운 분위기를 연출한다. 오베르스트도르프는 주변으로 5개 마을Kornau, Reichenbach, Rubi, Schollang, Tiefenbach 로 구성되어 있다. 특히 스홀랑Schollang 의 중심에 있는 바로크양식의 St.Michael 성당은 1531년 설립된 유서 깊은 곳이다.

비행편을 이용할 경우 오베르스트공항과 뮌헨공항에 40분이면 도착 가능하며 시간 여유가 있으면 열차로 이용해도 좋을 듯하다.

Oberstdorf

오베르스트도르프는 1950년 독일 최초로 스키점프시설을 완성하였으며
세계적인 스키점프 월드컵 대회 개최 장소로 널리 알려져 있다

Travel Information

Skiing Facts:
Heilklimatischer Kurort &
Kneippkurort
Prinzregenten-Platz 1
87561 Oberstdorf
Tel: +49 8322 7000
Fax: +49 8322 700236
Email: info@oberstdorf.de
Web: www.oberstdorf.de
    www.das-hoechste.de

Mountain Facts:
Summit: 2,224m
Base: 815m
Vertical Drop: 1,409m
Trails: 68
Lifts: 29
Gondolas/Cable Cars: 8
Restaurants: 150
Location: oberstdorf 6km

Golf Course:
Golf Club Oberstdorf e.V.
Gebrgoibe 2
D-87561 Oberstdorf 9Holes
Tel: +49 8322 2895
Fax: +49 8322 98694
Email: info@golfclub-
oberstdorf.de

Course Review:
* Founded: 1961Year
* Designer: Donald Harradine
* Championship Length:
  5,380m
* Par: 70
* Type: Mountain
* Remarks:
  www.golfclub-oberstdorf.de

Italy 코르티나 담페초 Cortina d'Ampezzo

돌로미테 산악군에 속하며 베네토 Veneto 주 벨루노 Belluno 북부 암페초를 대표하는 인구 7,000명의 작은 휴양지로 1952년 제7회 동계올림픽을 개최한 세계적인 스키리조트이다. 돌로미테 산악군 대표 도시로 불리는 볼차노 Bolzano 에서 60km 동쪽에 위치하며 셀바 Selva, 셀라 론다 Sella Ronda 와 더불어 돌로미테의 중심도시이자 동쪽 관문이며 스키의 고향이다. 스키 마니아, 암벽등산가들의 로망이자 천국인 이곳에서 케이블카를 타고 오를 때마다 웅장한 돌로미테 풍광에 탄성이 절로 나오게 된다.

셀바, 셀라 론다를 포함한 돌로미티 수퍼 스키 Dolomiti Super Ski 는 총연장 1,225km로 세계 최대를 자랑하는데 자연설 Off the slopes 을 즐기고자 한다면 코르티나를 추천하고 싶다. 정상 고도 2,930m, 베이스 고도 1,280m, 수직 고도차 1,650m로 6Gondola 포함 총 47Lifts를 운행 중이며 총연장 140km의 위용을 자랑한다. 대형 케이블카는 2대가 운행되는데 동북부 Faloria 2,125m, Cristallo 2,930m, 서부 Tofana 2,830m, Pomedes 2,305m 정상에 오르면 만년설과 호수, 폭포, 순백의 고원 등 다양한 풍광에 압도당하게 된다. 소규모 마을이지만 특급 호텔, 별장, 고급 쇼핑센터, 백화점, 특산품점 등 편의시설이 잘 되어 있고 숙박시설도 잘 구비되어 있어 편안한 휴가를 즐기기에 덧없는 곳이다. 미즈 리나

Misurina 호수를 거쳐 트레치메 디라
바르도 *Trecime di Lavaredo* 도 올라가
보고 5개의 봉우리 친꿰토리, 파소
자우 언덕에 올라 내려다보면 전면에
펼쳐지는 돌로미티의 절경에 탄성이
절로 나올 것이며 이웃 오스트리아와
는 또 다른 돌로미티의 매력에 빠지
게 된다.

www.cortina.dolomiti.com

Cortina d'Ampezzo

대형 케이블카는 2대가 운행하는데 동북부와 서부 정상에 오르면
만년설과 호수, 폭포, 순백의 고원 등 다양한 풍광에 압도당하게 된다

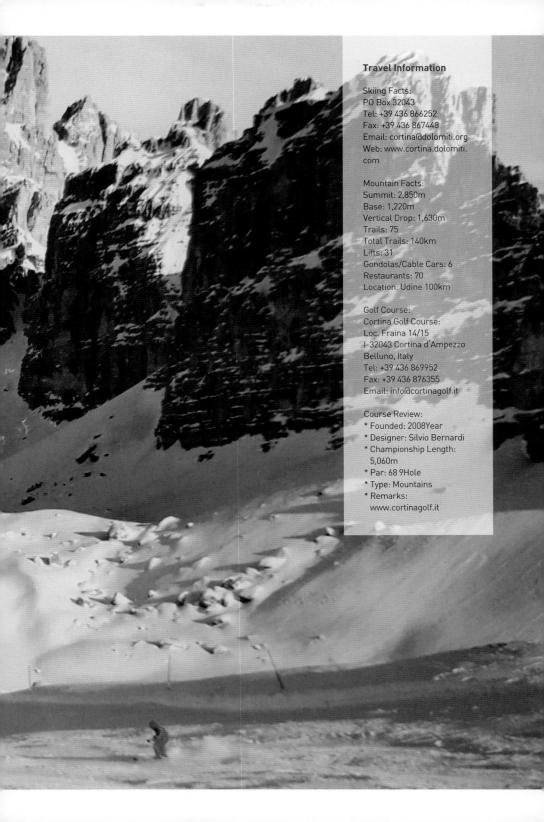

Travel Information

Skiing Facts:
PO Box 32043
Tel: +39 436 866252
Fax: +39 436 867448
Email: cortina@dolomiti.org
Web: www.cortina.dolomiti.
com

Mountain Facts:
Summit: 2,850m
Base: 1,220m
Vertical Drop: 1,630m
Trails: 75
Total Trails: 140km
Lifts: 31
Gondolas/Cable Cars: 6
Restaurants: 70
Location: Udine 100km

Golf Course:
Cortina Golf Course:
Loc. Fraina 14/15
I-32043 Cortina d'Ampezzo
Belluno, Italy
Tel: +39 436 869952
Fax: +39 436 876355
Email: info@cortinagolf.it

Course Review:
* Founded: 2008Year
* Designer: Silvio Bernardi
* Championship Length:
  5,060m
* Par: 68 9Hole
* Type: Mountains
* Remarks:
  www.cortinagolf.it

Italy 셀라 론다 Sella Ronda

볼차노 *Bolzano* 동쪽으로 20km를 가면 호르티세이 *Ortisei* 에 도착한다. 이곳에서 산타 크리스티나 *Santa Cristina Valgardena* 를 지나면 셀바 *Selva di Valgardena* , 알타 바디아 *Alta Badia* 에 도착한다. 셀바 *Selva di Valgardena* , 알타 바디아 *Alta Badia* 는 총연장 1225km의 세계 최대 스키지역인 돌로미티 슈퍼 스키의 센터이다.

이곳은 유네스코 자연유산으로 지정된 광대한 스키지역으로 돌로미티 산악군의 수려한 풍광을 감상하며 스키를 즐길 수 있는 천혜의 장소이다. 셀라 론다 *Sella Ronda* 는 4개의 계곡 *valleys of Badia, Gardena, Fassa, and Fodom* 을 중심으로 스키지역이 개발되었으며 남부 티롤 *South Tyrol* , 트렌티노 *Trentino* , 벨루노 *Belluno* 지역이 포함된 광대한 스키지역이다. 셀라 론다의 중심지는 셀바, 알타 바디아, 아라바 *Arabba* , 카나 제이 *Canazei* 등 16개 스키지역으로 셀라 연봉 피츠 보에 *Piz Boè* 봉을 중심으로 복잡하게 리프트로 연결되어있다.

이곳은 총 210Lifts, 460km의 광대한 순환형 스키지역 벨트이다. 셀바 *Selva* 에서 출발하여 다시 제자리로 돌아오는데 아침 9시에 출발하면 오후 4시가 되어야 도착할 수 있는 장거리 트래킹 코스이다. 곤돌라를 타고 올라 피츠 보에정상 라운지에서 휴식을 취하며 창밖을 내려다보면 수려한 풍광에 감탄사가 절

로 나온다. 해발 2,240m의 파소 셀라 *Passo Sella* 에서 바라보는 풍경과 만년설의 사소룽고 *Sassolungo 3,181m* , 사소피아또 *Sassopiatto 2,958m* 의 광경은 돌로미테 산악군 전망의 극치를 보여준다. 또한 해발 3,340m의 마르몰라다 *Marmolada* 와 알레게 호수도 꼭 돌아보아야 할 명소이다.

진정한 돌로미티를 느끼려면 일주일에서 10일 정도의 일정이 좋다. 보통 6일짜리 돌로미티 통합 리프트권이 220Euro이며, 1일권은 44Euro로 그리 비싼 편은 아니다. 볼차노에서 셀바나 알타 바디아행 직통 셔틀을 운행하므로 숙박지를 잘 선택하여 스키 플랜을 짜는 것이 필요하다.

Sella Ronda

유네스코 자연유산으로 돌로미티 산악군의
수려한 풍광을 감상하며 스킹할 수 있는 천혜의 장소이다

Travel Information

Skiing Facts:
Str. Meisules 213
PO Box 39048 Selva Gardena
Tel: +39 471 777777
Fax: +39 471 794245
Web: www.valgardena.it
www.altabadia.org
www.arabba.it
www.fassa.com

Mountain Facts:
Summit: 3,250m
Base: 1,005m
Vertical Drop: 2,245m
Trails: 460km
Lifts: 210
Gondolas/Cable Cars: 32
Restaurants: 250
Location: Bolzano 40km

Golf Course:
Golfclub St.Vigil Seis
Seis - St. Vigil Nr. 20,
I-39040 Kastelruth BZ
Tel: +39 471 708708,
Fax: +39 471 706606
Email: info@golfstvigilseis.it

Course Review:
* Founded: 2005Year
* Designer: -
* Championship Length: 5,117m
* Par: 69
* Type: Mountains
* Remarks: www.golfstvigilseis.it

Italy 비아라테아 Sauze d'Oulx/Sestriere

2006년 동계올림픽 설상 종목의 개최 장소로 1956년 코르티나 담페쵸 *Cortina d'Ampezzo*에 이어 이탈리아에서 두 번째로 열린 동계올림픽 개최지이다.

2006년 토리노 *Torino* 동계올림픽은 세스트리에 *Sestriere*에서 알파인경기가 열렸으며 현재에도 매년 FIS Alpine Ski World Cup을 개최하고 있는 유명한 스키장으로 정평이 나있다. 싸우제 둑스 *Sauze d'Oulx*에서는 프리스타일 경기가 열렸다.

프랑스와 접해있는 이곳은 토리노에서 서쪽으로 80km, 1시간 거리로 이탈리아 서부지역의 최대 스키지역이다. 대표 스키장은 세스트리에와 싸우제 둑스 스키장으로 토리노에서 욱스 *Oulx*까지 버스나 열차로 이동하여 가까운 싸우제 둑스나 세스트리에, 산시카리오 *Sansicario* 행 버스를 타면 된다.
비아라테아 *Vialattea*는 위 세 개의 스키장과 세사나 *Cesana*—클라비에 *Claviere*, 몽쥬네브흐 *Montgenevre* 프랑스 지역를 묶어 밀키웨이 *Milky Way*라 부른다.

비아라테아의 센터는 세스 트리에와 싸우제 둑스 지역으로 상당히 어려운 코스들도 많다. 세스 트리에의 몽트 시세 *Monte Sises* 코스는 4−5개의 급경사 지역으로 전문가 코스로 정평이 나있다. 이 5개 스키장은 이탈리아에서는 동

부의 돌로 미티 지역과 쌍벽을 이루는 곳으로 정상 고도 2,823m, 수직 고도 1,473m, 총 129Lifts, 146Pistes, 총연장 400km의 광활한 스키지역이다.

www.vialattea.it

Travel Information

Skiing Facts:
* 싸우제독스 Sauze d'Oulx :
PO Box 10050
Tel: +39 122 858009
Fax: +39 122 850700
Email: sauze@montagnedoc.it
Web: www.montagnedoc.it
* 쎄스트리에 Sestriere
PO Box 10058
Tel: +39 122 755444
Fax: +39 122 755171
Email: sestriere@montagnedoc.it
Web: www.vialattea.it

Mountain Facts:
Summit: 2,825m
Base: 1,390m
Vertical Drop: 1,435m
Trails: 240
Total Trails: 400km:
Lifts: 92
Gondolas/Cable Cars: 12
Restaurants: 110
Location: Turin 80km

Golf Course:
Golf Club Sestrieres
Piazza Agnelli 4
I-10058 Sestrieres Italy
Tel: +39 122 799411
Fax: +39 122 799418
Email: golf.sestrieres@vialattea.it

Course Review:
* Founded: 1932Year
* Championship Length: 4,634m
* Par: 66
* Type: Woodland
* Remarks: www.vialattea.it

Italy 브뢰일 체르비니아 Breuil-Cervinia

이탈리아 북서부 발레 다오스타 Valle d'Aosta 주에 속한 천혜의 휴양지로 주도인 아오스타 Aosta 에서 1시간 거리에 있다. 광활한 만년설이 펼쳐진 체르비니아는 브뢰일 분지가 광대한 산악 초원이었던 때부터 휴양지로 이용되었고 작은 교회, 한두 개의 호텔, 살레 같은 건물 밖에 없었으나 1934년 세르비노 Cervino 회사가 설립되어 케이블카가 운행되면서 리조트 모습을 갖추게 되었다. 또한 1995년 피노네이메트가 시속 193km의 활강 기록을 세우면서 더더욱 유명해졌다.

체르비니아 Cervinia 는 24Lifts, 58Pistes, 수직 고도차 1,956m, 총연장 200km 로 몬테로사 지역과 접하여 장엄함의 자태를 나타낸다. 스위스 체르마트에 비해 마테호른봉도 좀 더 근접하여 있어 마테호른의 풍광을 다방면에서 볼 수가 있고 특히 마테호른 적벽을 바라보며 스키를 즐기다 보면 스위스에서 느꼈던 모습과는 또 다른 절경에 압도당한다. 해발 2,050m의 베이스에서 중간 기착지인 플랜 메이슨 Plan Maison 을 거쳐 해발 3,480m의 정상 로사 고원 Plateau Rosa Testa Grigia 에 올라가 보자. 이 정상에 서면 연중 스키를 즐길 수 있는 만년설이 반겨준다.

클라인 마테호른 Klein Matterhorn 에서부터 발토우르넨케 Valtournenche 까지 22km

클라인 마테호른에서부터
발토우르넨케까지
22km에 이르는
슬로프에서 도전해보자

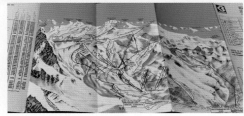

에 이르는 광폭의 슬로프에서 스키를 타보자. 이곳은 샤모니의 발레 블랑슈와 비교되는 세계 최장의 코스 중 하나이다. 샤모니에 비해 중간중간에 좁은 코스가 나타나기도 하고 스키 불가 지역 *Off-Piste*에 진입시 위험하니 주의해야 한다. 체르마트 *Zermatt*에서 클라인 마테호른을 거쳐 체르비니아로 넘어갈 수 있으니 여권을 반드시 소지해야 한다. 체르비니아에서 몬테로사 스키지역 *Champoluc, Gressoney*도 당일로 다녀올 수 있고 유서 깊은 주도 아오스타와 가까운 스키장들 *Courmayeur, La Thuile*도 둘러볼 만한 유명 스키장들이다. www.cervinia.it

Breuil-
Cervinia Valtournenche

Travel Information

Skiing Facts:
Cervino Ski Center
Piazzale Funivie-11021
Breuil-Cervinia AO , Italy
Tel: +39 166 944311
Fax: +39 166 944399
Email: info@cervinospa.com
Web: www.cervinia.it

Mountain Facts:
Summit: 3,480m
Base: 1,524m
Vertical Drop: 1,956m
Trails: 58 200km
Lifts: 25
Gondolas/Cable Cars: 6
Restaurants: 30
Location: Zermatt 12km

Golf Course:
Golf Club Cervino
Via Circonvallazione, 17
I-11021, Breuil-Cervinia
Tel: +39 166 949131
Fax: +39 166 940700
Email: info@golfcervino.com

Course Review:
* Founded: 1955Year
* Designer: Luigi Rota Caremoli
* Championship Length: 5,300m
* Par: 69
* Type: Mountains
* Remarks: www.golfcervino.com

Poland 자코파네 Zakopane

인구 28,000명, 폴란드 남부 산악지대에 위치하며 동부 유럽의 카르파티아 산맥 *Carpathian Mountains* 의 줄기인 타트라 산맥 *Tatra Mountains, Tatry Mountains* 에 연해 있고 슬로바키아 국경과 인접해있다. 크라쿠프에서 남쪽으로 110km 떨어져 있으며 슬로바키아로 가는 관문에 위치해있다.

1993년과 2001년에 동계유니버시아드대회를 개최하였으며 폴란드 동계스포츠의 중심지로 각광받고 있다. 서구에 비해 스키 비용이 저렴하여 유럽 각지에서 겨울에는 스키나 스노보드, 여름에는 하이킹, 사이클링, 클라이밍 등을 즐기러 많이 내방한다. 크라쿠프에서 버스나 기차로 이동이 가능하며 버스 이용이 편하고 빠른 편이다. 크라쿠프 중앙역에서 버스로 2시간이면 자코파네에 도착한다.

스키장에 가려면 자코파네 시내에서 근접한 해발 1,123m의 구바우프카 *Gubalowka* 행 케이블카를 타고 올라가 실력에 맞는 코스를 골라 스키를 즐겨보자. 좀 더 넓은 곳에서 광활한 스키를 즐기려면 폴란드를 대표하는 Tatra 산맥의 대형스키장인 카스프로비 비에르흐 *Kasprowy Wierch* 에 가보자. 터미널이나 역에서 쿠즈 니체 *Kuznice* 행 버스를 타면 된다. 시내 곳곳에서도 쿠즈 니체 가는 버스가 자주 다니며 10여 분이면 도착한다. 쿠즈 니체는 타트라 산맥 트래킹 출발점이자 스키베이스이다.

Travel Information

Skiing Facts:
카스프로비비에르흐 Kasprowy
Wierch
34-500 Zakopane
Poland
Tel: +48 18206 6950
Fax: +48 18206 6656
Email:
office@promocja.zakopane.pl
Web: www.promocja.zakopane.pl

Summit: 1,960m
Base: 1,030m
Vertical Drop: 930m
Trails: 16
Lifts: 18
Gondolas/Cable Cars: 2
Restaurants: 24
Location: Poronin 5km

Golf Course:
Krakow Valley Golf & Country Club
Paczoltowice 328
PL 32-063 Krzeszowice
Tel: +48 12258 6000
Email: turnie@golf.krakow.pl

Course Review:
* Founded: 2003
* Designer: Ronald Fream
* Championship Length: 6,518m
* Par: 72
* Type: Parkland
* Remarks: www.krakow-valley.
  com

쿠즈 니체에서 케이블카에 올라 산 중턱에서 한 번 갈아타고 스키장 종점 카스프로비 비에르흐 *Kasprowy Wierch* 에 올라가 보자.

시간이 여유로우면 자코파네 중앙역에서 미니버스를 타고 세계 10대 호수인 바다의 눈이라 일컫는 모르스키에 오코 *Morskie Oko* 에도 가보길 권한다. 겨울 순백의 호수는 어떤 느낌일까? 새하얀 빙원의 순수함에 감탄사가 저절로 나온다.

Zakopane

Czeko 크루코노세 Krkonose National Park

체코의 수도이자 보헤미아 수도인 프라하는 IOC 동계올림픽 위원회가 위치하고 있으며 체코인들은 겨울 스포츠를 상당히 즐기는 편이다.

체코에는 약 300여 개의 중소규모의 스키장들이 산재해있으며 프라하에서 가까운 스키장은 리베레츠 *Liberec* 로 프라하에서 1시간 거리에 있다.

특히 북부 보헤미아의 크루코노세 *Krkonose* 국립공원의 스핀들뤼프 믈린 *Spindleruv mlyn* 스키장을 중심으로 다수의 리조트가 개발되었다.

크루코노세 국립공원은 1963년 국립공원으로 지정되었고 최근까지 5개의 대형스키장을 오픈하였다. 스핀들뤼프 믈린 *Spindleruv mlyn* 을 비롯하여 하라 호프 *Harrachov*, 로끼뜨니쩨 나 디제로우 *Rokytnice nad Jizerou*, 체르나호라 얀스께 라즈네 *Cerna Hora-Janske Lazne*, 뻬츠뽀드 슈네츠꼬 *Pec pod Snezkou* 등이다.

스핀들뤼프 믈린은 유니버시아드 개최 도시답게 최상급의 설질과 호텔, 쇼핑센터 등이 있고 알파인스키 *World Cup, European Cup*, 크로스컨트리, 봅슬레이 등의 국제경기가 자주 열린다. 총 19Lifts, 25Pistes, 수직 고도 595m로 체코 최대의 스키장이다.

하라 호프 *Harrachov* 는 월드컵 등 스키점프 대회를 개최하고 있으며 최근에는 세나호라 얀스께 라즈네 스키장도 리모델링을 통한 변모를 추구하고

있다. 스키장 오픈은 12월 초부터 4월 중순
까지 운영되고 있다.

시간 여유가 있으면 체코의 최고봉인 스네 츠
카 *Snezka, 해발 1,603m* 도 올라가 보자. 이곳을
가려면 프라하 지하철 B-Line 종착역인 체
르니 모스트 *Cerny Most* 에서 하차하여 직
통버스를 이용하거나 프라하 시내 여행사에
패키지로 예약해도 좋다.

Travel Information

Skiing Facts:
슈핀들루프 믈린 Spindleruv Mlyn
SKIAREÁL Špindler v
MlýnLyža ská 281543 51
Špindler v Mlýn, Czech
Tel: +420 499 467102
Email: skiareal@skiareal.cz
Web: www.skiareal.cz

Mountain Facts:
Summit: 1,310m
Base: 715m
Vertical Drop: 595m
Trails: 25
Lifts: 19
Gondolas/Cable Cars: -
Restaurants: 55
Location: Harrachov 15km

하라호프, 로끼뜨니쩨 나 디제로우
Harrachov &
Rokytnice nad Jizerou
512 46 Harrachov, Czech
Tel: +420 481 529000
Fax: +420 481 529368
Email:
webmaster@harrachov.cz
Web: www.skiareal.com
       www.harrachov.cz
       www.rokytnice.com

Mountain Facts:
Summit: 1,312m
Base: 630m
Vertical Drop: 582m
Trails: 32
Lifts: 42
Gondolas/Cable Cars: -
Restaurants: 30
Location: Liberec 25km

Golf Course:
Golf Club Harrachov,
Harrachov 455, CZ-51246,
Harrachov, Czech Republic
9holes
Tel: +420 728 638474
Email:
golf.harrachov@seznam.cz

Course Review:
* Founded: 1999Year
* Designer: -
* Championship Length: 2,992m
* Par: 60
* Type: Mountain
* Remarks:
   www.harrachov-golf.cz

Slovakia 포프라트 Poprad

타트라 산맥 *Tatra Mountains* 주변 스키장 총 *54개* 의 동유럽 알프스 베이스이다. 인구 55,000명의 중소 관광도시이다. 슬로바키아 수도인 브라티슬라바 *Bratislava* 에서 열차나 고속버스가 자주 운행되며 교통이 잘 되어 있다. 대표적인 스키장은 비쇼케 타트리 *Vysoke Tatry* 지역을 대표하는 타트란스카 롬니챠 *Tatranska Rominica* 스키장과 니즈케 타트리 *Nizke Tatry* 지역을 대표하는 야스나 조폭 *Jasna-Chopok, 해발 2,024m* 스키장이다.

비쇼케 타트리 지역의 거점인 포프라트에 가려면 버스나 열차로 브라티슬라바에서 출발하여 질리나 *Zilina*, 립토프스키 미쿨라스 *Liptovsky Mikulas* 를 거쳐 포프라트에 도착한다. 호텔이나 쇼핑센터들이 잘되어 있고 공항도 있어서 교통이 편하다.

롬니챠 *Rominica* 에 가려면 포프라트 역에서 스타리 스모코베츠 *Stary Smokovec* 를 거쳐 약 40분을 가면 롬니차 역에 도착한다.

이곳에서 케이블카를 타고 오르면 동 알프스에서 가장 높은 정상인 Romnicky Stit *해발 2,634m* 전망대에 도착하는데 탁 트인 전면의 지평선에 광활한 파노라마가 펼쳐진다.

포프라트를 뒤로하고 이번에는 Low Tatras 국립공원지역인 니즈케 타트리

Travel Information

Skiing Facts:
타트란스카 롬니챠
Tatranska Lomnica
Strbske Pleso, Stary Smokovec
Tel: +421 903 112200
Fax: +421 524 467618
Email: info@vt.sk
Web: www.vt.sk

Summit: 2,634m
Base: 888m
Vertical Drop: 1,746m
Trails: 8
Lifts: 6
Gondolas/Cable Cars: 4
Restaurants: 6
Location: Poprad 15km

야스나-초폭 Jasna –Chopok
mannovska Dolina, Jasna
Tel: +421 907 886644
Fax: +421 445 548107
Emai: info@jasna.sk
Web: www.jasna.sk

Mountain Facts:
Summit: 2,024m
Base: 950m:
Vertical Drop: 1,074m:
Trails: 14
Total Trails: 42km
Lifts: 17
Gondolas: 1
Restaurants: 5
Location: Poprad 60km

Golf Course:
Black Stork Golf Resort
 Lomnicky Golf Club
tatranska 754,
05952, Velka Lominica
Slovakia
Tel: +421 52 4661806
Fax: +421 52 4661112
Email:
golfrecepcia@golfinter.sk

Course Review:
* Founded: 1999Year
* Designer: -
* Championship Length: 5,805m
* Par: 72
* Type: Woodland
* Remarks: www.golftatry.sk

Nizke Tatry 지역을 도전해보자. 포프라트에서 열차나 버스로 리프토프스키 미쿨라시로 이동하여 숙소를 정하고 셔틀버스로 야스나 조폭 베이스로 이동한다. 야스나 조폭은 매년 FIS Ski World Cup이 개최되고 있다.

야스나 조폭은 Off-Piste 지역이 광대하며 웅장한 설산을 바라보며 스키를 타다 보면 다이내믹한 전율이 느껴진다.

Poprad

Hungary 베스프렘 Epleny Siarena

언덕 위 '왕비의 도시'라 불리는 베스프렘 Vesprem 은 보코니 산맥의 기슭에 있으며 발라톤 Balaton 호를 비롯하여 경치가 아름다운 곳으로 철도와 유통의 중심지이다. 부다페스트에서 남서쪽으로 약 2시간 거리에 있다. 베스프렘 주의 주도이며 인구 6만 4000여 명의 헝가리인들이 추앙하는 중세도시이다.

베스프렘 성 안의 언덕 끝에는 초대 국왕의 사후 900년을 기념해 세운 이슈트반 왕과 기젤라 왕비의 동상이 우뚝 서 있는데, 여기서 내려다보면 주홍색 지붕의 마을과 베네딕트 언덕이 어우러진 모습은 한 폭의 그림같다.

유럽에서 가장 오래된 절벽 감옥 옆에는 현대미술관이 들어서 있으며 성 미카엘 성당 St. Michael's Cathedral 에는 초대 왕비인 기젤라 왕비의 유물이 보관되어 있다.

베스프렘 Veszprém 박물관에는 로마시대의 유물들을 많이 소장하고 있다.

베스프렘 Veszprém 근교에 있는 발라톤 Balaton 호는 "헝가리의 바다 Magyar tenger"로 불리는 헝가리 최대 호수로 호수의 중심 마을인 티하니 Tihany 도 가볼 만한 관광지이다.

베스프렘 Veszprém 의 스키지역은 인터스포츠 스키 아레나 에플레니 씨아레나 Intersport Ski Arena Eplény, Epleny Siarena 로 스키 비용이 저렴하고 중급 규모로 작지만 가족 스키장으로 적합하다. 간혹 급경사가 있으나 대부분이 초중급 코

Travel Information

Skiing Facts:
Epleny Siarena Ski Resort
Eplény,Veszprémi u. 66,8413,
Hungary
Tel: +36 88 453244
       +36 70 4257674
Web: www.siarena.hu

Mountain Facts:
Summit: 515m
Base: 335m
Vertical Drop: 180m
Trails: 5
Lifts: 6
Gondolas/Cable Cars: -
Restaurants: 6
Location: Budapest 90km

Golf Course:
Pannonia Golf & Country Club
Mariavölgy H-8087
Alcsútdoboz-Máriavölgy
Hungary
Tel: +36 22 594200
Fax: +36 22 594205
Email: info@golfclub.hu

Course Review:
* Founded: 1996Year
* Designer: -
* Championship Length: 6,192m
* Par: 72
* Type: Parkland
* Remarks: www.golfclub.hu

스이다. 총 6Lifts, 5Pistes, 정상 고도 515m,
수직 고도 180m로 헝가리에서는 제일 큰 규모
이다.

부다페스트에서 버스로 2시간, 베스프렘에서
10분 거리로 호텔이나 여행사에 예약하거나
열차로 에플레니 역 *Epleny Station* 에 내려 스키
장으로 이동하면 된다.

www.siarena.hu

Epleny Siarena

Slovenia 블레드 Bled-Vogel, Kranjska Gora

슬로베니아 스키 중심지는 율리안 알프스 *Julian Alps* 의 거점 블레드 *Bled* 라 할 수 있다. 이곳은 인구 1만여 명의 소도시로 옛날부터 합수 부르크 왕가 등 많은 귀족들이 휴양지로 삼았으며 특급호텔과 레스토랑, 상점들이 즐비하다. 도시 중심에는 호수가 있고, 호수의 중앙의 블레드 섬에는 1534년 설립된 성모승천 교회가 있으며 호숫가에는 고풍의 블레드 성이 있다.

율리안 알프스를 대표하는 스키장으로는 보겔 *Vogel* 과 크라니스카 고라 *Kranjska Gora* 스키장이 있다.

보겔의 베이스는 보힌 *Bohinj* 으로 블레드에서 셔틀버스가 자주 운행하고 있으며 약 30분 정도 걸린다. 아침 8시부터 오후 6시까지 케이블카가 운행하고 있다. 케이블카를 타고 오르면 보겔 스키 센터 전망대 *해발 1,535m* 에 도착한다. 이곳에서 다시 리프트를 타고 스키장 정상인 포스타야 시야 *Postaja Sija, 해발 1,800m* 에 올라 주위를 바라다보면 웅장한 트리 글라브 *Triglav, 해발 2,864m* 정상과 율리안 알프스 파노라마가 전개된다.

크라니스카 고라 스키장은 블레드에서 1시간 거리에 있으며 블레드 인구의 절반인 약 5,500여 명의 산악도시형 리조트이다.

이곳은 율리안 알프스의 심장이자 만년설의 신비로움을 간직한 트리 글라브 국립공원이 있으며 에메랄드빛으로 빛나는 환상적인 크라니스카 고라 야스나 호

정선 FIS WORLD CUP 에 참가한
'Klemen Kosi'선수와 함께

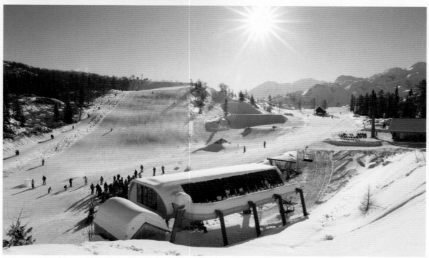

수 *Kranjska Gora Jasna Jazero* 가 있다.

크라니스카 고라는 슬로베니아 최대의 스키장이며 알파인 스키 월드컵 *FIS WORLD CUP* 과 플라잉 스키 *Flying Ski* 세계 선수권이 매년 개최되고 있으며 총연 장 30km의 활강코스와 40km의 크로스컨트리를 경험해보자. 이런 천혜의 자 연조건은 슬로베니아 선수들이 각종 FIS WORLD CUP과 세계 선수권을 우승 하는 일이 우연이 아님을 알 필요가 있다. 소치 올림픽 2관왕에 빛나는 티나 마 제 *Tina Maze* 나 뱅엔 *Wengen* 스키 월드컵을 제패한 클레멘 코시 *Klemen Kosi* 등 수많은 특급 선수들을 계속 배출시키고 있다.

Kranjska Gora, Vogel

보겔

보겔 스키 센터 전망대에 올라보면
웅장한 트리 글라브 정상과 율리안 알프스 파노라마가 전개된다

Travel Information

Skiing Facts:
Kranjska Gora
Ticarjeva ul. 2
4280 Kranjska Gora
Tel.: +386 4580 9440
Fax: +386 4580 9441
E-mail:
info@kranjska-gora.eu
Web: www.kranjska-gora.si

Mountain Facts:
Summit: 1,623m
Base: 810m:
Vertical Drop: 813m:
Trails: 20
Lifts: 21
Gondolas: -
Restaurants: 18
Location: Bovec 14km

Vogel
Ribcev laz 48
4265 Bohinjsko Jezero
Tel: +386 4572 9712
Fax: +386 4572 9721
Email:
marketingvogel@siol.net
Web: www.vogel.si

Summit: 1800m
Base: 544m
Vertical Drop: 1,256m
Trails: 8
Lifts: 7
Gondolas/Cable Cars: 1
Restaurants: 8
Location: Ljubljana 55km

Golf Course:
Bled Golf & Country Club
Kidriceva 10c
SI-4260 Bled
Slovenia
Tel: +386 4537 7711
Fax: +386 4537 7722
Email: info@golfbled.si

Course Review:
* Founded: 1937Year
* Designer: Don Harradine
* Championship Length: 6,256m
* Par: 73
* Type: Woodland
* Remarks: www.golfbled.si

Croatia 자그레브, 야세낙 Zagreb, Bjelolasica-Jasenak

자그레브 슬레메 *Zagreb Sljeme* 는 메드베드니차 *Medvednica* 산에 건설된 스키장으로 자그레브 *Zagreb* 에서 15km, 자동차로 20분 거리에 있다. 이곳은 스키 영웅인 야니차, 이비차 코스텔리치 *Janica and Ivica Kostelic* 자매가 어릴 적부터 연습한 스키장으로도 유명하다.

2017년에는 자그레브 *Zagreb* 에서 월드컵 *FIS WORLD CUP* 개최 50주년 행사가 성대한 축제 분위기로 열렸다. 2011년 알마티와 2017년 삿포로 아시안게임 챔피언 정동현 선수는 슬레메 *Sljeme* 에서 펼쳐진 2016-2017 Alpine FIS WORLD CUP 회전경기에서 14위를 기록하여 세계 특급 선수들과 어깨를 나란히 하였다.

총 4Lifts, 5Pistes, 정상 고도 1,035m, 수직 고도 420m 슬로프 연장 5km로 작은 규모이나 아기자기한 코스가 재미를 더해준다. 자그레브와 가까워 주말에는 스키어가 많이 몰리며 The Crveni Red Slope와 Bijela livada White Meadow는 야간스키도 운영하고 있다.

www.sljeme.hr

야세낙 *Jasenak* 은 자그레브 *Zagreb* 에서 약 120km로 2시간 거리에 있다.

야세낙에 위치한 브예로라시차 *Bjelolasica* 올림픽 스키 센터는 해발 620m로 올림픽 4관왕, 월드컵 30승에 빛나는 크로아티아 스키 영웅 야니차 코스텔리

치 고향으로 주로 중급 코스로 구성되어 있지
만 액티브한 코스들도 조성되어 있고 크로아
티아에서 가장 긴 1.7km의 파노라마 슬로프
도 있다.

브예로라시차 스키빌리지에 건설된 Tourist
complex에는 스포츠홀, 호텔, 레스토랑, 온천
사우나 등이 잘 되어있고 축구장, 배구장, 농구
장등 아웃도어 운동시설도 조성되어 있다.

트래킹 명소인 브예로라시차 최고봉 *Bjelolasica-Kula* 을 등산하러 많이 방문하고 있다. 이곳은
절경의 석회암 지역으로 훌륭한 힐링 장소
이기도 하다.

www.bjelolasica.hr

Travel Information

Skiing Facts:
Sljeme Ski Resort
Trg Krešimira osi a 11
10 000 Zagreb
Tel: +385 1642 1021
Fax: +385 1365 0361
E-mail:
uso-ured.direktora@zgh.hr
Web: www.sljeme.hr

Summit: 1,035m
Base: 616m
Vertical Drop: 419m
Trails: 5
Lifts: 4
Gondolas/Cable Cars: -
Restaurants: 5
Location: Zagrev 12km

Bjelolasica
Vrelo bb,
47300 Jasenak, Croatia
Tel: +385 4756 2118
Fax: +385 4756 2150
Email: beljan@bjelolasica.hr
Web: www.bjelolasica.hr

Summit: 1,500m
Base: 620m
Vertical Drop: 880m
Trails: 7
Lifts: 6
Gondolas/Cable Cars: 1
Restaurants: 5
Location: Ogulin 27km

Golf Course:
Golf & Country Club Dolina
Kardinala Mirkopolje bb
10454 Kraši Croatia
Tel: +385 9123 10710
Email: dk@croatia-golf.hr

Course Review:
* Founded: 2001Year
* Designer: -
* Championship Length:
  6,035m
* Par: 71
* Type: Woodland
* Remarks:
  www.croatia-golf.hr

SKI CENTAR BJELOLASICA

ŽIČARE			SKI STAZE		
VRELO	RADI	1	BJELOLASICA	OTVORENO
GOMIRKOVICA	RADI	2	GOMIRKOVICA	OTVORENO
BJELOLASICA	RADI	3	LIVADE	OTVORENO
LIVADE	RADI	4	VILINSKA DRAGA	OTVORENO
VILINSKA DRAGA	RADI	5	HAJDUČICA 1	ZATVORENO
HAJDUČICA	NE RADI	5	HAJDUČICA 2	NE RADI
		6	VRELO	ZATVORENO

VRIJEME: na 1070 m/nm	MAGLA	TEMPERATURA: na 1070 m/nm	-7 °C	VISINA SNIJEGA: na 1070 m/nm	100 cm	BRZINA VJETRA:	0 km/h

Bjelolasica

Bosnia-Herzegovina 사라예보 Bjelasnica, Jahorina

그리스도교와 이슬람교의 문화권이 융합된 곳으로 그리스도교, 이슬람교의 건물이 잘 어우러져 조화롭게 도시를 형성하고 있다.

1973년 세계탁구선수권대회에서 이에리사 · 정현숙 선수가 여자 단체전을 석권한 곳으로 1984년에 제14회 동계올림픽을 유치하여 전 세계로부터 찬사를 받았으나 1991년 독립 후 내전으로 올림픽선수촌, 빙상장 등 주요 시설물이 손상되어 아쉬움이 있다.

이곳에는 대표적인 브예라스니차 Bjelasnica 스키장과 야호리나 Jahorina 스키장이 있다. 84년 동계올림픽에 이영하, 배기태, 어우연, 김진해, 박병노 선수 등이 출전하였다. 브예라스니차에서 열린 활강경기에서 박병노 선수가 52위, 김진해 선수가 회전 경기에서 31위를 기록하였다.

사라예보에서 30km 거리로 직통 셔틀이 자주 다닌다. 연중 200일이 눈으로 덮여있으며 디나리치 알프스 Dinaric Alps 봉우리 중9번째로 높으며 11월 중순부터 4월 중순까지 6개월간 스키를 즐길 수가 있다. 슬로프 총연장 20km로 정상 해발 2,067m 부근에서 Back Country Skiing을 즐길 수 있고 하부 지역에서는 야간스키도 운용한다. 84년 올림픽 때 남자 활강경기와 크로스컨트리 경기

등이 열렸으며 총 7Lifts, 11Pistes, 정상 고도 2,067m, 수직 고도 867m이다.

야호리나 스키장은 사라예보에서 20km 정도의 거리에 있으며 사라예보 주민들이 자주 방문하는 지역이다. 거점 도시는 인구 3만 명의 팔레 *Pale* 로 약 10km 근교에 있어 숙소를 이곳에 정해도 좋다. 이곳은 올림픽 스키 센터가 있으며 도시가 아기자기한 전원도시이다. 야간스키를 운영하고 특히 중급자 코스가 많아서 시니어 스키어들이 즐기기에 더할 나위 없는 곳이다. 84년 올림픽 때 여자 활강경기가 열렸으며 총 9Lifts, 20Pistes, 정상 고도 1,884m, 수직 고도 584m, 슬로프 총연장 20km이다.

Travel Information

Skiing Facts:
브예라스니차 Bjelasnica
Dervisa Numica 25
71000 Sarajevo
Tel: +387 3371 4646
Fax: +387 3371 4647
Email: marketing@zoi84.ba
Web: www.zoi84.ba/bjelasnica

Mountain Facts:
Summit: 2,070m
Base: 1,200m
Vertical Drop: 870m
Trails: 20km
Lifts: 7
Gondolas/Cable Cars: -
Restaurants: 5
Location: Sarajevo 25km

야호리나 Jahorina
Obala Maka Dizdar 5
71000 Sarajevo
Tel: +387 5727 0187
Fax: +387 5727 0190
Email: zorica@jahorina.com
Web: www.oc-jahorina.com

Mountain Facts:
Summit: 1,884m
Base: 1,300m
Vertical Drop: 584m
Trails: 20km
Lifts: 9
Gondolas/Cable Cars: -
Restaurants: 20
Location: Sarajevo 28km

Golf Course:
Golf Klub Sarajevo
Slatina bb
Sarajevo 71000
Tel: +387 6155 6421
Email: golfsa@golfsa.ba

Course Review:
* Founded: 2003Year
* Designer: Amir Vuk
* Championship Length:
  6,100Yards
* Par: 72
* Type: Parkland
* Remarks: www.golfsa.ba

Jahorina

Serbia 코파오닉 Kopaonik

2006년에 유고연방이 완전히 해체되어 원래의 6개 국가인 세르비아 공화국, 몬테네그로 공화국, 크로아티아 공화국, 슬로베니아 공화국, 보스니아–헤르체고비나 공화국, 마케도니아 공화국으로 되돌아갔다.

코파오닉 Kopaonik 은 세르비아 중앙 남부에 있는 산으로 세르비아에서 가장 큰 산의 하나이며 가장 높은 봉우리는 2,017m 높이의 판치치 피크 Pančić's Peak 이다. 연중 200일 이상 햇빛을 볼 수 있어 태양의 산으로도 불린다. 1981 년에 코파오닉 국립공원 Kopaonik's National Park 으로 지정되었으며 총 121km² 의 아주 광활한 지역이다.

코파오닉 스키장은 세계적인 테니스 선수 노박 조코비치의 고향으로 유명세를 탔으며 세르비아에서 가장 큰 스키장으로 불가리아 반스코와 더불어 남부 유럽에서 가장 규모가 크다. 총 25Lifts로 시간당 32,000명 탑승이 가능하며 슬로프는 총 30Pistes, 정상 고도 2,017m, 수직 고도 961m, 슬로프 총연장 55km로 메머드급 스키장이다.

가장 긴 슬로프는 3.5km로 상당히 긴 편이며 숲이 많고 Off-Piste 지역이 넓어 즐겁게 라이딩 할 수가 있다. 야간스키도 운영하며 크로스컨트리 지역이 총

12km로 스키 즐기기엔 그만이다.

주요 호텔들이 잘 건설되어 있는데 한 곳을 추천한다면 그랜드호텔 *Grand Hotel & Spa* 을 권한다. 실내외 수영장, 사우나, 헬스장 등이 잘 갖추어져있다. www.grand-kopaonik.com

베오그라드 *Beograd* 에서 고속도로를 타고 남쪽 니시 *NIS* 방향으로 가다가 크루셰바츠 *Kruševac* 방향으로 진입하여 코소보 국경지대로 가다 보면 코파오닉 이정표가 나온다. 베오그라드에서 약 250km로 4시간 정도 걸린다.

코파오닉

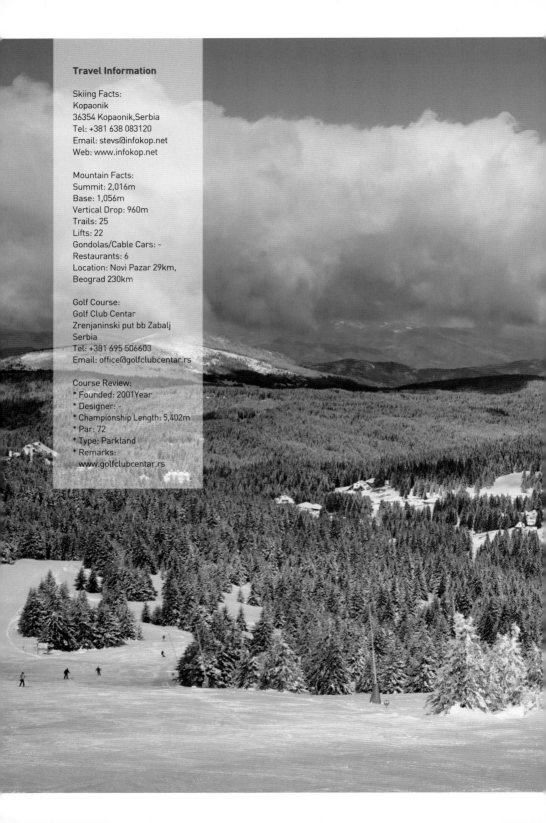

Travel Information

Skiing Facts:
Kopaonik
36354 Kopaonik,Serbia
Tel: +381 638 083120
Email: stevs@infokop.net
Web: www.infokop.net

Mountain Facts:
Summit: 2,016m
Base: 1,056m
Vertical Drop: 960m
Trails: 25
Lifts: 22
Gondolas/Cable Cars: -
Restaurants: 6
Location: Novi Pazar 29km,
Beograd 230km

Golf Course:
Golf Club Centar
Zrenjaninski put bb Zabalj
Serbia
Tel: +381 695 506603
Email: office@golfclubcentar.rs

Course Review:
* Founded: 2001Year
* Designer: -
* Championship Length: 5,402m
* Par: 72
* Type: Parkland
* Remarks:
  www.golfclubcentar.rs

Kopaonik

Montenegro 두루미토르 Durmitor Zabljak

자블라크 *Zabljak* 는 인구 2,000여 명의 작은 산악마을로 두르미토르 국립공원의 관문이며 츠르노 *Crno* 호수 트래킹의 베이스이다. 발칸반도에서 가장 높은 지역 *해발 1,475m* 에 위치한 스키장으로 숨이 막힐 만큼 아름다운 풍경에 유럽 전역에서 많은 관광객들이 방문하고 있다. 두르미토르 *Durmitor* 국립공원은 1952년에 유고슬라비아 국립공원으로 지정되었으며 1980년에 세계유산으로 지정되었다.

해발고도 450~2,522m로 디나르 알프스와 지중해 영향을 받아 다양한 기후 특성을 나타내며 두르미토르 산 정상 북쪽에는 빙하의 영향으로 형성된 "유럽의 눈물"이라 부르는 타라 협곡 *Tara Kanjon* 이 이어지는데 길이만 61㎞, 협곡 깊이가 1,300m에 이르며 다양하게 형성된 카르스트 지형으로 16개의 아름다운 빙하 호수가 있다.

타라강에 의해 형성된 타라 협곡은 남부 유럽에서 가장 큰 협곡으로 사암 절벽 사이로 84km를 흘러 절경의 시계요 비치차 *Sigeyo Vicica* 폭포를 거쳐 드라나강으로 흘러간다.

몬테네그로의 대표 스키장으로 크로스컨트리 코스도 개발되어 있고 총 12Lifts, 15Pistes, 정상 고도 2,313m, 수직 고도 750m, 총연장 40km를 자랑

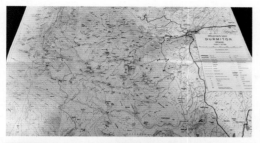

Travel Information

Skiing Facts:
Zabljak Resort
Zabljak,
Durmitor National Park 84220,
Montenegro
Tel: +382 5236 1337
Fax: +382 5236 1307
Email: durmitor1@t-com.me
Web: www.zabljak.me

Mountain Facts:
Summit: 2,313m
Base: 1,563m
Vertical Drop: 750m
Trails: 15 40km
Lifts: 12
Gondolas/Cable Cars: -
Restaurants: 15
Location: Novi Pazar 80km

Golf Course:
Royal Montenegro Golf &
Country Club
Radanovi i, 85320 Tivat,
Montenegro
Tel: +382 7720 0101
    +382 3233 1558
Email: info@lusticabay.com
Web: www.bigova.me/golfing

하는 광활한 스키장이다. 스키를 즐기기 아주 좋은 환경을 갖춘 이곳은 리프트를 비롯한 스키부대시설이 낡아 개선해야 할 점이 많다는 아쉬움이 있다. 눈앞에 보이는 두르미토르 산의 엄준한 자태, 변화무쌍한 날씨, 병풍처럼 둘러친 고봉들과 광활한 고원은 한 폭의 그림 같은 알프스에 와있는 듯한 착각에 빠지게 된다.

이곳은 치즈나 양고기 요리 등이 뛰어나며 다른 유고연방에 비해 음식이 맛있는 편이다. 닉시치 *Nikšić* 에서 1시간 반, 수도인 뽀드고리차 *Podgorica* 에서 3시간 걸린다.

www.zabljak.me

Durmitor Zabljak

Bulgaria 반스코 Bansko

불가리아의 수도 소피아 *Sofia* 에서 남쪽으로 150km 거리에 위치해있으며, 피린 산맥의 중심도시인 블라고 에프 그라드 *Blagoevgrad* 에서 직통버스가 수시로 출발한다.

반스코는 피린 국립공원 *Pirin, 1983년 세계문화유산* 의 관광 거점인 동시에 연간 100만 명 이상이 방문하는 덕택에 차별화된 수준급 유명리조트로 알려지게 되었다. 인구 1만여 명의 소도시이지만 스키, 트래킹, 공예, 와인산업 등이 발달하였으며 영어 사용에도 문제가 없다. 세계 각지에서 방문한 스키어들은 밤이 되면 시내로 몰려들어 낮처럼 환한 네온사인 조명하에 불야성을 이룬다.

최고봉인 비엔 *Vihren, 해발 2,914m* 산록에 위치하며 총연장 75km로 연중 절반인 11월에 오픈하여 4월 말까지 보통 운영하고 있다. 세계적으로 유명한 스키장답게 매년 전 세계 스키 선수들의 경연인 FIS WORLD CUP이 개최되고 있다. 참고로 FIS WORLD CUP을 개최하는 국가는 유럽과 미국, 캐나다, 일본, 한국, 아르헨티나, 호주, 뉴질랜드, 러시아뿐이다.

반스코의 상징이라면 시내에 우뚝 서있는 홀리 트리니티 교회 *Holy Trinity Church, 1835년 설립* 로 꼭 가볼 만한 명소이다. 시간이 넉넉하면 릴라 *Rila* 수도원

이나 남쪽 지근거리에 있는 피린 국립공원 *Pirin Natinal Park* 도 가볼 만한 곳이
다. 유네스코 세계유산으로 지정될만한 웅장하고 장엄한 경관을 자랑한다.
반스코와 더불어 쌍벽을 이루는 보로 베츠 *Borovets* 스키장을 들러보려면 한
시간 거리 *62km* 의 사모 코프 *Samokov* 에 숙소를 정하면 편리하다. 이곳은 소피
아와 가까워 교통이 편리하고 상점이나 호텔, 레스토랑 등 편의 시설이 잘 되
어있다.

www.banskoski.com

반스코는 피린 국립공원 의 관광 거점인 동시에

연간 100만 명 이상이 방문하는 세계 탑 클래스급의 리조트이다

Bansko

Romania 브라쇼브, 시나이아 Poiana-Brasov, Sinaia

브라쇼브 *Brasov* 는 인구 28만 명의 루마니아의 가운데 위치하여 교통 중심지이며 주요 도시에서 열차나 버스로 이동하기가 쉽다. 카르파티아 산맥 *Carpathian Mountains* 북쪽 기슭에 있다. 루마니아의 수도인 부쿠레시티 *Bucuresti* 에서 160km 거리이며 버스로 2시간 30분이면 도착할 수 있다.

주요 관광지로는 중세에 건립된 고딕 양식의 흙 성당 *Biserica Neagra, 1477년 건축*, 구시가의 성 니콜라스 교회 *St. Nicholas Church*, 미술관 *Brasov Art Museum*, 역사박물관 등 수많은 성곽과 관광명소들이 즐비하다.

브라쇼브 *Brasov* 시내에서 가까운 스키장은 뽀이아나 브라쇼브 *Poiana Brasov* 로 브라쇼브에서 남쪽으로 침엽수림을 따라 10km 정도 가면 뽀이아나 브라쇼브 *Poiana Brasov* 에 도착한다. 브라쇼브에서 버스도 자주 운행한다. 루마니아를 대표하는 스키장으로 1906년 오픈하였으며 12월부터 3월까지 운영한다.

시나이아 *Sinaia* 스키장은 루마니아에서 가장 큰 슬로프 고도차의 넓은 스키지역으로 가장 긴 슬로프는 6km 길이로 흥미진진하게 다운힐 할 수가 있다. 시나이아는 열차로 이동 시에는 부쿠레시티 *Bucuresti* 북역에서 2시간, 브라쇼브 역에서 1시간이면 도착이 가능하다.

시나이아는 프라호바 주 *Prahova County* 에 속하며 브라쇼브에서 남쪽으로
50km 떨어져 있으며 "카르파티아의 진주 *The Pearl of Carpathians*"라 불리는 곳
으로 인구 1만 6000명의 소도시이지만 중세에 건립된 성과 수도원이 유명하여
전 세계로부터 관광객이 많이 찾는 지역이다. 17세기에 건립된 수도원은 성서
에 나오는 시나이산을 본떠서 시나이아 수도원 *Sinaia Monastery* 으로 명명되었
다 한다.

도이치 르네상스로 유명한 펠레스 성 *Peles Castle* 은 카롤 1세 국왕의 여름궁전
으로 사용되었으며 시나이아 스키장이 위치하여 4계절 내내 관광객이 끊이질
않는다.

Brasov, Sinaia

브라쇼브는 루마니아 중심부에 위치한 교통, 관광의 중심지이며
4계절 내내 전 세계에서 온 관광객으로 붐빈다

Travel Information

Skiing Facts:
Poiana Brasov
Str. Republicii 38, 500030 Brasov
Tel: +40 753 550055
www.poiana-brasov.com

Mountain Facts:
Summit: 1,770m
Base: 1,000m
Vertical Drop: 770m
Trails: 13
Lifts: 8
Gondolas/Cable Cars: 3
Restaurants: 10
Location: Bucharest 110km

Sinaia
106100 Sinaia, Ploiesti
Tel: +40 727 900664
www.ski-in-romania.com

Mountain Facts:
Summit: 2,030m
Base: 1,000m
Vertical Drop: 1,030m
Trails: 14
Lifts: 8
Gondolas/Cable Cars: 2
Restaurants: 10
Location: Brasov 32km

Lac de Verde G.C
44 Carierei St.,Breaza,jud.
Prahova, Romania
Tel: +40 737 261406
Fax: +40 244 343525
Email: contact@lacdeverde.ro

Course Review:
* Founded: 1975
* Designer:
  Andras Peres & Ron Castillo
* Championship Length: 2,928m
* Par: 62
* Type: Woodland
* Remarks:
  www.lacdeverde.ro

Ukraine 부코벨 Bukovel

부코벨 *Bukovel* 은 동유럽의 큰 산 맥 *루마니아-우크라이나* 인 카르파티아 산 맥 *Carpathian Mountains* 에 연해 있으며 이바노 프랑키브츠 주 *Ivano-Frankivsk Oblast* 야레무체 *Yaremche* 시에서 남서방향으로 30km 정도 가면 뽀리아니차 *Polyanytsya* 스키 빌리지가 나온다.

부코벨 *Bukovel* 은 우크라이나에서 가장 큰 스키장으로 2012년에 세계에서 가장 빠르게 성장하는 스키장으로 이름을 올렸다. 2006년에는 고속 리프트와 고가의 제설기도 도입하고 슬로프 증설은 물론 과감히 스키장 전반에 걸쳐 시설 개선을 통하여 빅리조트로의 도약을 꿈꾸고 있다. 동부 유럽의 리더 격인 불가리아의 반스코나 보로 베츠를 모델 삼아 발전하고 있다. 총 16lifts로 시간당 35,000명을 실어 나르며 슬로프 총연장 65km이다. 가장 긴 슬로프는 2,106m 이며 스노보더를 위한 스노 파크 *snow park* 와 사이클을 즐길 수 있는 구역 *bicycle park* 도 잘 갖추어져있다. 리프트를 타고 오르면 산 정상인 5개 봉우리에 오르는데 리프트가 서로 연결되어 있다.

* Bukovel − 3,698 ft *1127 m*

* Chorna Kleva − 4,088 ft *1246 m*

* Babyn Pohar − 3,870 ft *1180 m*

* Dovha — 4,501 ft *1372 m*
* Bulchinokha — 3,770 ft *1150 m*

스키 시즌은 기후변화에 좌우되지만 보통 12월 초
부터 4월 중순까지 운영하며 어린이를 위한 스키학
교도 잘 되어있고 야간스키도 운영하고 있다.

비수기에는 Climbing, Xtreme park, Water
skiing, 승마, 래프팅, Trolley, Hiking, Mount
Bike 등을 즐길 수 있으며 4계절 리조트로서 추천
해주고 싶다.

시간이 넉넉하면 주도인 이바노 프란키브스크
Ivano-Frankivsk, 콜로 미야*Kolomea*, 부코비나의 수
도였던 체르니우치 *Tschernowitz* 지역의 중세 시대
의 성당, 로마시대 유적 등 역사적 건축물들을 돌아
봐도 좋다.

www.bukovel.com

Travel Information

Skiing Facts:
Bukovel Resort
Ivano-Frankivska Oblast, Ukraine
Tel: +380 342 595546
Email: region@bukovel.info
Web: www.bukovel.com

Mountain Facts:
Summit: 1,370m
Base: 850m
Vertical Drop: 520m
Trails: 50km
Lifts: 14
Gondolas/Cable Cars: -
Restaurants: 20
Location: Yasinya 12km

Golf Course:
Kiev Golf Club
Kiev Golf Club,08003, Uklaine, Kiev
Makarovskiy district, Village
Gavronschyna,
Hrivnyovskoe Chaussee
Tel: +380 674 036641
Fax: +380 445 457176
Email: info@kievgolfclub.com

Course Review:
* Founded: 2010Year
* Designer: Peter Chamberlain
* Championship Length: 6,853m
* Par: 72
* Type: Parkland
* Remarks: www.kievgolfclub.com

Russia 소치 Sochi

흑해 연안 크라스노다르 *Krasnodar Krai* 지방의 인구 40만의 휴양도시이다. 다양한 공원과 식물원, 예술성 넘치는 블라드미르 성당 *St. Vladimir Church*, 소치 박물관, 아쿠아리움이 있으며 스릴 넘치는 스카이 파크 *Sky Park*, 아훈산 전망대 등 복합휴양 도시답게 도시구획이 잘 되어있다. 러시아에서 따뜻한 피서지로 유명하여 서구 유럽과 중동지역의 관광객이 많이 찾는다.

소치는 2014년 제22회 동계올림픽을 개최하였으며 총 88개국에서 약 2,800여 명의 선수가 참가하였으며 특히 피겨의 김연아 선수의 멋진 연기는 전 세계의 찬사를 받았으나 러시아의 쇼트니코바에 이어 은메달로 만족해야 했다. 또한 이곳에서 열린 문화축제에서 세계적인 소프라노 조수미의 공연은 전 세계에 심금을 울리기도 했다.

소치에서는 스피드 스케이팅, 쇼트트랙, 컬링, 피겨스케이팅 등이 열렸으며 크라스나야 폴랴나 *Kransnaya Polyana* 에서는 스키나 바이애슬론 등 설상 종목이 열렸다.
크라스나야 폴랴나의 로자 후토르 *Rosa Khutor* 스키장은 소치 아들레르 *Adler* 공항에서 45km 떨어져 있으며 정상 고도 2,320m, 수직 고도 1,745m, 3개의 곤돌라, 14개의 리프트, 총연장 72km로 국제경기장으로 손색이 없다. 남자 알파

인 활강경기에서는 오스트리아의 마티아스 메이어 *Matthias Mayer* 가 슈퍼대회
전에서는 노르웨이의 세틸 얀스루드 *Kjetil Jansrud* 가 우승하였다. 여자부는 슬
로베니아 스키 영웅인 티나 마제 *Tina Maze* 가 활강과 대회전에서 2관왕을 차지
하였다.

소치나 아들레르공항에서 크라스나야 폴랴나까지 전철이 운행 중이며 직통버
스 *No.105* 로도 이동이 가능하다. 소치의 특급호텔들은 스키장까지 픽업도 해준
다. 올림픽 개최 후 엄청난 홍보효과로 유럽을 비롯한 전 세계에서 수많은 관
광객이 몰려드는 추세이다.

www.kraspol.ru

Sochi

로자 후토르 스키장은 소치 아들레르 공항에서

45km 떨어져 있으며 정상 고도 2,320m, 수직 고도 1,745m, 3개의 곤돌라,

14개의 리프트, 총연장 72km로 국제경기장으로 손색이 없다

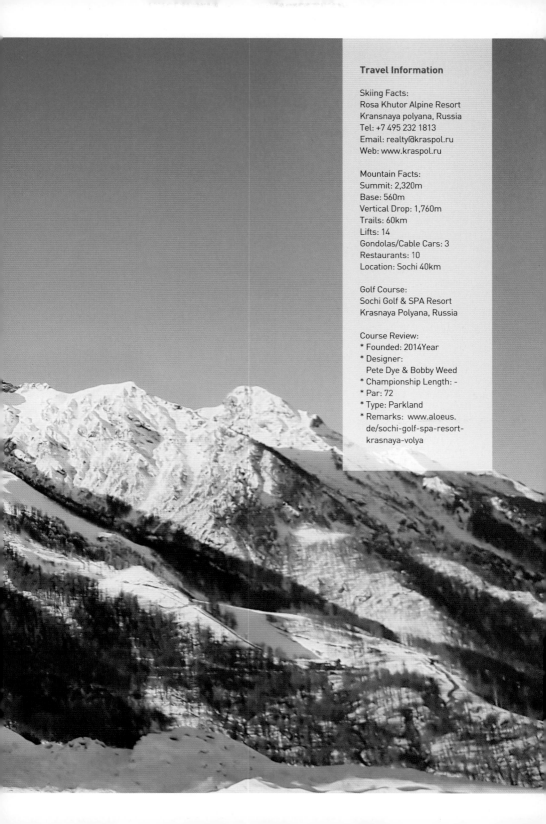

Travel Information

Skiing Facts:
Rosa Khutor Alpine Resort
Kransnaya polyana, Russia
Tel: +7 495 232 1813
Email: realty@kraspol.ru
Web: www.kraspol.ru

Mountain Facts:
Summit: 2,320m
Base: 560m
Vertical Drop: 1,760m
Trails: 60km
Lifts: 14
Gondolas/Cable Cars: 3
Restaurants: 10
Location: Sochi 40km

Golf Course:
Sochi Golf & SPA Resort
Krasnaya Polyana, Russia

Course Review:
* Founded: 2014Year
* Designer:
  Pete Dye & Bobby Weed
* Championship Length: -
* Par: 72
* Type: Parkland
* Remarks: www.aloeus.
  de/sochi-golf-spa-resort-
  krasnaya-volya

Spain 바케이라 베렛 Baqueira-Beret, 칸단추 Candanchu

스페인에는 총 30여 개의 스키장이 있는데 대부분이 피레네 *Pyrenees* 산맥을 끼고 발달하였으며 일부 시에라 네바다 *Sierra Nevada* 지역과 수도 마드리드 *Madrid* 와 가까운 중부 일부 지역에 스키장이 산재해있다.

피레네 산맥의 대표적인 스키장은 바케이라 베렛, 라 몰리나 *La Molina*, 칸단추, 폴미갈 *Formigal* 등이 있다. 바케이라 베렛은 피레네의 진주 *The pearl of the Pyrenees* 라 부른다. 카탈루냐 *Catalunya* 지방의 예이다 *Lleida* 주에 속하며 스키 시즌은 11월 말부터 4월 말까지 운영하며 짜릿한 헬리스키와 다양한 Back Country Skiing도 즐길 수가 있다. 정상 고도 2,510m, 수직 고도 1,010m, 총 32Lifts, 104Pistes, 슬로프 총연장 146km를 자랑한다. 바케이라 베렛은 깊숙한 3개의 계곡을 합하여 부르는 초대형 스키리조트이다.

이곳을 피레네의 진주라 부르는 이유는 다양한 온천스파와 아란계곡 *Naut Aran* 의 환상적인 트래킹 코스, 쇼핑센터 등 완벽한 휴양지로서 손색이 없다. 시즌에는 전 세계에서 스키어들이 몰려 숙소 구하기가 힘들다.
바케이라에서 가깝고 주요 거점인 비에야 *Viella* 나 아티에 *Arties* 에 숙소를 정하고 셔틀버스로 이동해도 좋다. 비에야에서 바케이라 스키장까지 약 12km이며

Courtesy of baqueira.es

자동차로 10분이면 도착한다.

칸단추나 폴미갈 스키장은 북동부 아라곤 _Aragon_ 지방에 속하며 거점 도시는 주도인 우에 스카 _Huesca_ 이다. 칸단추 스키장은 정상 고도 2,400m, 수직 고도 860m, 총 27Lifts, 45Pistes, 크로스컨트리 35km의 Ski Trail을 자랑하며 자연설이 넘치는 대형 스키장이다.

카탈루냐 _Catalunya_ 지방의 라 몰리나 _La Molina_ 스키장은 바르셀로나에서 가까워 당일 셔틀버스들이 많이 운행되고 있다.

Courtesy of baqueira.es

Travel Information

Skiing Facts:
칸단추 Candanchu
22889 Ainsa,
Huesca, Spain
Tel: +34 974 373194
Fax: +34 974 373346
Emai: informacion@candanchu.
com
Web: www.candanchu.com

Mountain Facts:
Summit: 2,400m
Base: 1,540m:
Vertical Drop: 860m:
Trails: 45
Lifts: 27
Gondolas: -
Restaurants: 10
Location: Gourette 26km

Golf Course:
Club de Golf Raimat
Afores 25111 Raimat,Lleida
Tel: +34 973 737539
Fax: +34 973 737483
Email:
recepcion@raimatgolf.com

Course Review:
* Founded: 1994Year
* Designer: Jose Rivero
* Championship Length:
  6,187m
* Par: 72
* Type: Parkland
* Remarks:
  www.raimatgolf.com

Baqueira-Beret

Travel Information

Skiing Facts:
바케이라베렛 Baqueira/Beret
PO Box 60
Vielha 25530, Lerida, Spain
Tel: +34 973 639000
Fax: +34 973 644488
Email: pviajes@baqueira.es
Web: www.baqueira.es

Mountain Facts:
Summit: 2,510m
Base: 1,500m
Vertical Drop: 1,010m
Trails: 104
Lifts: 29
Gondolas/Cable Cars: 1
Restaurants: 11
Location: Bordes 118km

Golf Course:
Aravell Golf Resort
Lleida, Aravell Provincia 25712
Spain
Tel: +34 973 360066
Fax: +34 973 354448
Email: secretaria@
aravellgolfclub.com

Course Review:
* Founded: 1996Year
* Designer: -
* Championship Length:
6,155Yards
* Par: 71
* Type: Mountains
* Remarks: www.
aravellgolfclub.com

바퀘이라 베렛

'피레네의 진주'라 불리는 바퀘이라 베렛은 짜릿한
Back Country Skiing을 즐길 수 있는 광활한 스키지역이다

Courtesy of baqueira.es

Spain 그라나다 Sierra Nevada

스페인 남부 안달루시아 자치 지방 *autonomous community* 의 그라나다주 州 의 주도이다. 해발 738m의 고지대에 위치하며 인구는 약 23만 7천 명으로 스페인에서 13번째로 큰 도시이다. 기독교와 이슬람문화가 잘 복합된 그라나다는 이슬람 왕국의 요새와 궁전, 사원, 대학 등 많은 유적들이 남아있다. 이슬람 왕조의 왕궁이자 요새였던 알람브라 *Alhambra* 궁전 요새가 있으며 세계적인 관광지로 명성이 높다.

마드리드에서 남쪽으로 약 350km이며 스페인의 주요 도시로 철도와 정기노선 버스가 연결되고 페데리코 그라치아 로르카 공항 *Federico Garcia Lorca Airport* 이 있다.

유럽 최남단에 있는 빙하 지형인 시에라 네바다 *Sierra Nevada* 산맥에는 스페인 최고봉인 물라센 *해발 3,482m* 봉이 있다. "눈으로 덮인 산자락"이란 뜻의 시에라 네바다는 1999년에 국립공원으로 지정되었으며 스페인에서 가장 큰 국립공원이다.

시에라 네바다 *Sierra Nevada* 스키 리조트는 1964년 설립된 유럽에서 가장 남쪽에 위치한 스키장으로 지중해를 끼고 위치하고 있어 수많은 외국인 관광객의

스키 여행지로 각광받고 있다. 스키장 가는 중에 산 중턱에는 방목하는 산양, 소, 말, 염소 등도 눈에 띄며 산상 도로변의 레스토랑, 카페도 목가적인 풍경을 자아낸다.

스페인에서 가장 규모가 큰 하프파이프 *165m long and 6m high* 도 건설되어 세계 선수권 스노보드 알파인, 프리스타일 대회가 열리고 있으며 2017년 3월 이곳에서 열린 세계 선수권 스노보드 알파인 평행대회전에서는 한국 스노보드 최초의 월드컵 은메달리스트 이상호 *23·한국 체대* 선수가 역대 최고인 5위의 성적을 낸 바 있다.

해발고도가 높아 Off-Piste Skiing 지역도 넓고 크로스컨트리 *5.8km* 도 즐길 수 있다. 총연장 107km로 광활한 스키장으로 가장 긴 슬로프 "El Aguila"는 6.2km로 상당히 긴 편이며 리프트는 9시부터 17시까지 운영한다.
그라나다 터미널에서 아침 8시, 10시 그리고 15시, 17시 *주말* 출발하며 1시간 정도면 도착한다. 스키장에서 나오는 시간은 18시 30분이 막차이다.

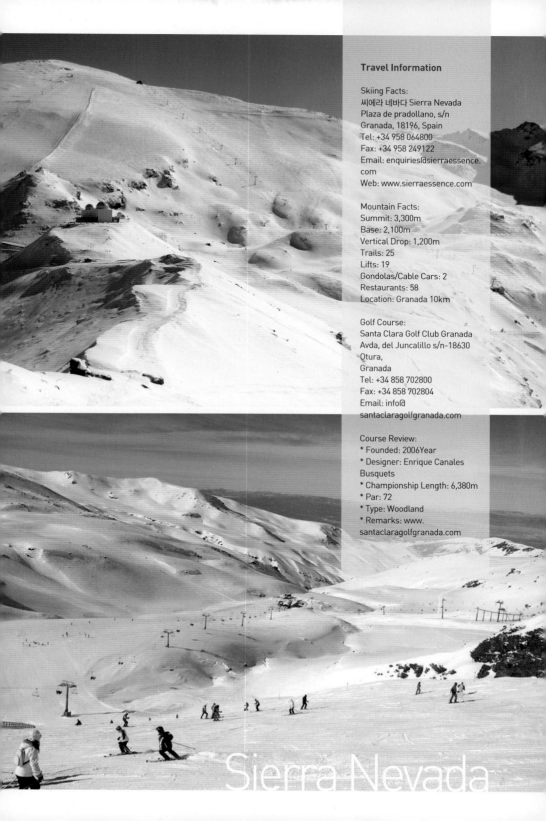

Travel Information

Skiing Facts:
씨에라 네바다 Sierra Nevada
Plaza de pradollano, s/n
Granada, 18196, Spain
Tel: +34 958 064800
Fax: +34 958 249122
Email: enquiries@sierraessence.
com
Web: www.sierraessence.com

Mountain Facts:
Summit: 3,300m
Base: 2,100m
Vertical Drop: 1,200m
Trails: 25
Lifts: 19
Gondolas/Cable Cars: 2
Restaurants: 58
Location: Granada 10km

Golf Course:
Santa Clara Golf Club Granada
Avda, del Juncalillo s/n-18630
Otura,
Granada
Tel: +34 858 702800
Fax: +34 858 702804
Email: info@
santaclaragolfgranada.com

Course Review:
* Founded: 2006Year
* Designer: Enrique Canales
Busquets
* Championship Length: 6,380m
* Par: 72
* Type: Woodland
* Remarks: www.
santaclaragolfgranada.com

Sierra Nevada

Andorra 발노르드 Vallnord, 그랑바리라 Grandvalira

안도라의 정식 명칭은 안도라공국 *Principality of Andorra* 으로 프랑스와 스페인의 국경을 이루는 피레네산맥 동부에 위치한다. 프랑스 대통령과 에스파냐의 우르 헬 교구 주교가 형식적인 국가원수로 있다. 총면적은 468㎢, 인구는 약 86,000명, 수도는 안도라 라베야 *Andorra la Vella* 이다.

유럽에서 가장 높은 *1,409m* 곳에 위치하고, 평균 고도는 1,996m이다. 안도라에서 가장 높은 곳의 고도는 2,942m이다. 기후는 비교적 온화한 산악기후이며, 고봉으로 둘러싸인 좁은 국토에 주민이 7개 마을에 분산되어 살고 있다.

안도라 스키장은 면적이 작아 국토 전체가 스키장으로 연결되어 있다. 안도라 라베야 *Andorra la Vella* 에서 발노르드 *Vallnord* 에 속한 아린 살 *Arinsal* 은 차로 15분, 솔데우 *Soldeu* 는 20분, 파스데라 까사 *Pas de la Casa* 는 30분 정도 걸린다. 1957년 파스데라 까사에서 처음 시작되어 60년의 스키역사를 가지고 있으며 스페인과 프랑스 등에서 많은 스키어들이 방문하고 있다.

스키지역은 크게 두 지역으로 나뉘는데 발노르드 *Vallnord: Pal, Arinsal, Arcalís* 지역과 그랑바리라 *Grandvalira: Encamp, Canillo, El Tarter, Soldeu, Grau Roig, Pas de la Casa* 지역이다.

발노르드의 베이스는 La Massana, 그랑바리라의 베이스는 Encamp이며 서로 연결되어 환승이 가능하다. 두 지역 *Domaine* 을 합하면 총 109Lifts, 195Pistes, 슬로프 총연장 303km, 시간당 156,000명의 탑승이 가능하다.

매년 FIS WORLD CUP과 Ski Mountaineering World Cup도 개최되고 있는 스키 천국이다. 2010년 동계올림픽 개최지 후보였으며 유럽 최고의 온천리조트 칼데아 *Caldea* 도 방문하여 야외 사우나도 즐겨보고, 면세 천국인 이곳에서 쇼핑하면서 힐링도 해보자. 스페인 바르셀로나에서 버스로 3시간, 툴루즈에서 2시간 반이면 도착이 가능하다.

www.grandvalira.com / www.vallnord.com

안도라는 발노르드 지역과 그랑바리라 지역으로 나누어져 있으며
국가 전체가 리프트로 연결되어 있다

Vallnord, Grandvalira

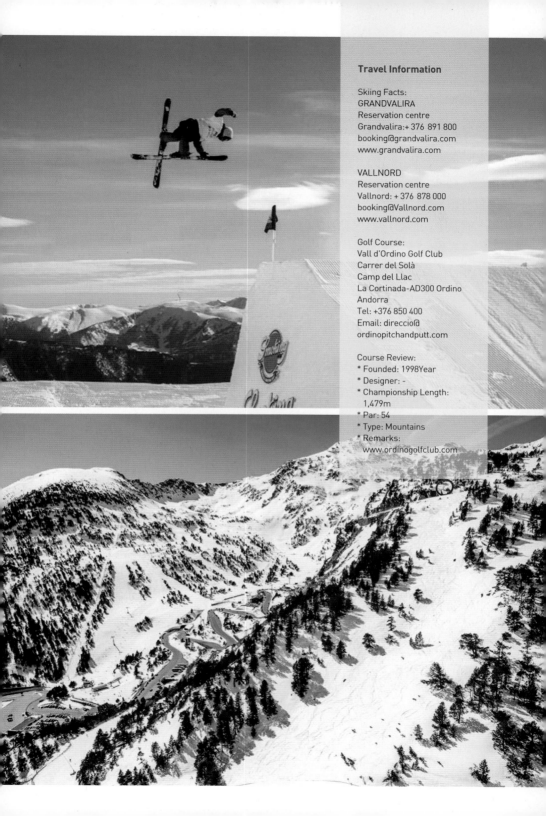

Travel Information

Skiing Facts:
GRANDVALIRA
Reservation centre
Grandvalira:+ 376 891 800
booking@grandvalira.com
www.grandvalira.com

VALLNORD
Reservation centre
Vallnord: + 376 878 000
booking@Vallnord.com
www.vallnord.com

Golf Course:
Vall d'Ordino Golf Club
Carrer del Solà
Camp del Llac
La Cortinada-AD300 Ordino
Andorra
Tel: +376 850 400
Email: direccio@
ordinopitchandputt.com

Course Review:
* Founded: 1998Year
* Designer: -
* Championship Length:
  1,479m
* Par: 54
* Type: Mountains
* Remarks:
  www.ordinogolfclub.com

Greece 파르나소스 Mt. Parnassos

델피 *Delphi* 로 가는 길목, 험한 회색빛의 절벽을 보며 큰산의 7부 능선을 굽이굽이 돌아 오르다 보면 파르나소스산 *해발 2,445m* 중턱에 위치한 아기자기하고 고즈넉한 마을 아라 호바 *Arachova* 가 나온다. 이곳은 그리스에서 가장 각광받는 파르나소스 *Mt. Parnassos* 스키장의 베이스이며 마을의 상징인 축대를 쌓아서 올린 시계탑이 마을 중심에 우뚝 서있다. 이 종탑은 최근 선풍적인 인기를 끈 드라마 '태양의 후예'를 촬영한 곳으로도 유명하다.

겨울의 미코노스라 불리는 아라 호바 *Arachova* 는 고도가 높아 외세의 침략을 받지 않고 고대도시 모습을 유지해왔으며 고요하고 비탈진 경사면에 아름다운 주홍색 기와지붕들이 멋스러워 보인다.

스키장 베이스이자 스키어들의 천국인 아라 호바는 멋지게 굽어진 돌다리를 따라 호텔과 카페, 스키숍은 물론 전통찻집과 맛있는 양고기 요리집, 기념품 숍이 밤 12까지 영업을 하며 스키 시즌에는 관광객들로 불야성을 이룬다.
스키 시즌은 12월에서 5월 초순까지 운영한다. 시즌에는 호텔 부족으로 가격이 천정부지로 오르기 때문에 예약은 필수이다.

스키지역은 두 군데로 깰래리아 *Kelaria* 와 훼로라까 *Fterolaka* 지역으로 나뉘

는데 총 16Lifts, 19Pistes, 정상 고도 2,250m, 수직 고도 650m, 슬로프 총연장 36km로 멋진 풍경을 자아내는 아름다운 스키장이다. Fterolaka 스키장은 5km의 크로스컨트리 경기장도 구비되어 있다.

아테네에서 아라 호바까지 180km 거리로 아테네 리오시온 터미널 *Liosion bus station*에서 델피로 가는 시외버스를 이용하면 약 3시간 걸린다. *Coach timetables 07:30, 10:30, 13:00, 15:30, 17:30, 20:00* 기차로 갈 경우에는 아테네 역을 출발하여 Amfiklia 역에서 하차하여 스키장 셔틀버스로 갈아타면 된다.

시간이 있으면 스키장과 가까운 아폴로 신전 *BC. 330*과 고대 극장, 고 박물관이 있는 델피 유적도 가볼 만한 관광지이다. 아라 호바에서 델피는 10km 거리, 급경사의 산악 도로로 20분 정도 소요된다.

www.parnassos-ski.gr

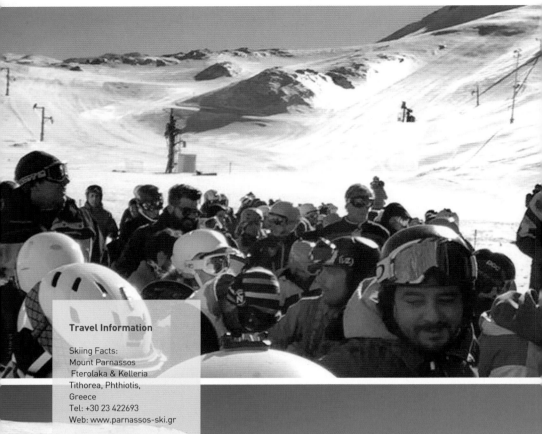

Travel Information

Skiing Facts:
Mount Parnassos
 Fterolaka & Kelleria
Tithorea, Phthiotis,
Greece
Tel: +30 23 422693
Web: www.parnassos-ski.gr

Mountain Facts:
Summit: 2,260m
Base: 1,640m
Vertical Drop: 620m
Trails: 16
Lifts: 12
Gondolas/Cable Cars: 1
Restaurants: 5
Location: Athens 100km

Golf Course:
Glyfada Golf Club
P.O. Box 70034
GR-16610 Glyfada, Athen
Tel: +30 210 8946820
Fax: +30 210 8943721
Email: glyfgolf@hol.gr

Course Review:
* Founded: 1966Year
* Designer: Donald Harradine.
* Championship Length:
  6,082m
* Par: 71
* Type: Parkland
* Remarks:
  www.athensgolfclub.com

Turkey 부루사 Bursa, Uludağ

부르사 Bursa 는 터키 제4의 도시이다. 오스만 제국의 2대 황제인 오르한 1세는 비잔틴 제국이었던 이곳을 점령하여 오스만투르크 Ottoman Empire, 1326년~1365년 제국의 수도로 정했다. 인구는 240만여 명, 터키의 주요 관광지이고 부르사 주의 주도이다. 올림포스 산 Mt. Olympos of Mysia, 2443m 의 낮은 경사면에 위치하고 있다.

부르사 울루 자미 사원은 메카, 메디나, 예루살렘, 다마스쿠스에 이어 이슬람 5대 성지로 도시 중심에 호텔을 잡으면 관광하기가 편하다. 이스탄불에서 육지로 가면 소요시간 많이 걸리며 배 Topcular-Eskihisar Ferry 로 가면 1시간 반이면 도착이 가능하다.

울루다 산 터키어: Uludağ 은 "숭고한 산 Sublime Mountain "이란 뜻으로 부르사 남쪽에 위치한 국립공원으로 최고 봉은 2,543m이다. 기원전부터 주민이 거주하였고 예전에는 그리스 신화에 나오는 올림푸스 산 Mysian Olympus 으로 불렸다. 울루다 산은 터키에서 겨울 스포츠로 유명하고, 숲과 호수 등 다양한 식생을 가지고 있으며 서부 아나톨리아 지방에서 가장 높은 산으로 하이킹 코스도 잘 되어 있다.

울루다 스키장은 1961년에 오픈한 곳으로 부르사에서 36km 남쪽에 위치한다.

케이블카와 자동차로 접근할 수 있는데 톱하네 공원 앞에서 버스로 울루다 스키장까지 50분 걸린다.

총 22Lifts, 26Pistes, 정상 고도 2,322m, 수직 고도 555m로 고즈넉한 스키장이다.

호텔 그랜드 야지치 *Grand Yazici* 나 베제란 *Beceren* 등 숙박시설 *27Hotel, 3,000실* 도 훌륭하며 스키 시즌은 12월부터 5월 초까지 운영한다. 산책로, 산장, 레스토랑, 캠핑장, 우체국, 쇼핑센터 등이 잘 갖추어져 있으며 힐링 장소로 연중 내내 관광객이 넘친다.

www.uludaginfo.com

Travel Information

Skiing Facts:
Uludag Ski Center
Orman Bölge Müdürlü ü, Bursa
Yalova Yolu,
znik Merkez/Bursa, Turkey
Tel: +90 224 285 2111
Web: www.bursauludag.com

Mountain Facts
Summit: 2,543m
Base: 1,750m
Vertical Drop: 793m
Trails: 13
Lifts: 15
Gondoras/ Cable Cars: -
Restaurants: 20
Location: latanbul 150km. Bursa 36km

Golf Course:
Klassis Golf & Country Club
Seymen Köyü Altıntepe Mevkii
34570, Silivri, Istanbul / Turkey
Tel: +90 212 710 13 13
Fax: +90 212 710 13 38
Email: marketing@klassis.com.tr

Course Review
* Founded: 1994Year
* Designer: Tony Jacklin
* Championship Length:
  6,033m
* Par: 73
* Type: Parkland
* Remarks
  www.klassisgolf.com.tr

Turkey 에르주룸 Erzurum-Palandoken

터키 동부 해발 1,853m에 위치한 도시로 에르주룸 *Erzurum* 주의 주도이다. 아나톨리아 동북부의 중심 도시로 메소포타미아와 흑해를 연결하는 교역의 거점이었다. 터키에서 가장 고지대 지역으로 춥고 겨울 평균기온이 영하 20도로 눈이 많이 오는 지역으로 터키 겨울스포츠의 중심이다.

2011년 제25회 동계 유니버시아드 대회 개최지이며 인구는 386,408명 *2014년 기준*, 면적은 26,582㎢이다. 이 대회의 개최로 건설된 팔란도큰 산 *Palandöken Mountain* 입구 스키 점프장 Kiremitliktepe *Türk Telekom Ski Jumping Towers* 도 젊은이들이 많이 찾는 명소가 되었다.

팔란도큰 산은 해발 3,271m로 에르주룸 지방에서 가장 높은 위치에 있으며 산줄기를 중심으로 건설된 팔란도큰 스키장 *Palandöken Resort* 은 터키의 최대 스키장으로 도전적인 코스가 많기로 유명하며 유럽의 스키어들이 많이 찾고 있는 스키장이다. 제25회 동계 유니버시아드 대회 프리스타일과 스노보드 경기가 열렸다. 알파인 경기는 에르주룸 근교의 Konakh Ski Resort에서 열렸다. 이 대회에서 우리나라는 쇼트트랙의 3관왕 이은별 선수 등의 활약에 힘입어 러시아에 이어 종합 준우승을 차지하였다.

스키장은 공항에서 15km, 에르주룸 시내에서 4km 정도 되는 가까운 곳에 있으며 스키베이스 *Başköy* 는 해발 2,100m로 Polat Renaissance hotel 등 5개의 호텔 *2,700실* 이 들어서 있다.

스키 시즌은 11월 말부터 5월 초순까지 운영하며 2008~2011시즌에는 리프트와 슬로프를 대규모로 증설하였다. 총 12Lifts, 22Pistes, 정상 고도 3,125m, 수직 고도 1,025m로 광활한 스키장이다. 특히 백 컨트리 지역 the Ejder *Turkish for "Dragon"* 도 리프트가 가동되지만 대부분 Off-Piste 지역으로 훌륭한 파우더 스킹을 제공한다.

Travel Information

Skiing Facts:
팔란도큰 Palandoken Ski Center
Yunus Emre Mah. Palandöken
Kayak Merkezi Palandöken
25000 Erzurum, Turkey
Tel: +90 442 317 0804
Fax: +90 442 317 0504
Email: info@snowdora.com
Web: www.ejder3200.com

Mountain Facts:
Summit: 3,125m
Base: 2,100m
Vertical Drop: 1,025m
Trails: 22
Lifts: 7
Gondolas/Cable Cars: 1
Restaurants: 6
Location: Erzurum 27km

Golf Course:
Hodja Lakes Golf Course:
Incirlik Air Base, Adana, Turkey
39 Force Support Squadron
Tel: +90 322 676 8995
Email: 39fss.golf@incirlik.af.mil

Course Review:
* Founded: 1952Year
* Championship Length:
  2,800Yards
* Par: 36
* Type: Parkland
* Remarks: www.39fss.com

Erzurum-Palandoken

U.K. Scotland 애비모아 Cairngorm

케언곰스 Cairngorms 는 영국에서 가장 높은 하일랜드 지역의 케언곰스 국립공원 Cairngorms National Park, 해발 1,245m 에 위치한 스키리조트로 영국 겨울스포츠의 센터이다. 스키베이스 거점인 애비모어 Aviemore 에서 10km, 인버네스 Inverness 에서 50km 거리에 있다.

애비모어는 케언곰스 스키장의 베이스 마을로 인구 2,500명의 작은 마을이다. 에든버러 Edinburgh 에서 인버네스행 열차가 운행되어 많은 스키어들이 애비모어 역에서 하차하여 스키장까지 셔틀버스로 이동하는데 무리가 없다. 하일랜드 Highlands 지방의 Badenoch and Strathspey 구역에 속하며 유적지인 케언 곰즈 국립 공원 안에 위치한 에일린 호수 위의 작은 성과 애비모어 스톤헨지 The Aviemore stone circle 지역도 돌아볼만한 코스이다.

케언곰스 스키장은 애비모어 마을에서 약 10km로 15분 정도면 도착한다. 영국 겨울스포츠의 고향으로 불리는 곳으로 영국의 스키 선수인 Emma Carrick-Anderson과 스노보드 선수 Lesley McKenna 등이 배출된 곳으로도 유명하다.
이곳은 스키장 입구부터 정상까지 미니 트램인 푸니쿨라 funicular railway 가 운행하는데 리프트 대신 이용해도 좋다. 날씨가 너무 추우면 스키는 쉬어가면서

천천히 즐기는 것이 좋으며 정상 부근의 Ptarmigan restaurant 등 휴게소에서 근육을 풀어주는 것이 좋다.

케언곰스는 6개 고봉을 중심으로 다양한 Off-Piste 지역도 많고 푸니쿨라를 타고 오르면 강풍도 막아주고 스킹 하기에도 편하다. Lecht 스키장도 1시간 정도의 근거리에 있으니 투어를 해보자.

총 11Lifts, 31Pistes, 정상 고도 1,097m, 수직 고도 548m, 스킹 면적 2,086Acres로 규모도 상당하며 비수기에는 산악자전거 *mountain-biking* 나 하이킹 족들이 많이 찾는다.

www.cairngormmountain.org

Cairngorm

스키장 입구부터 정상까지 푸니쿨라를 이용해보자

케언곰스의 추운 날씨에는 정상 부근의 Ptarmigan restaurant 에서

잠시 쉬는 것이 필요하다

Travel Information

Skiing Facts:
케언곰즈 Cairngorm
Cairngorm Mountain Ltd.
Cairngorm Ski Area
Aviemore PH 22 1RB
Tel: +44 1479 861261
Fax: +44 1479 861207
Email: info@
cairngormmountain.org
Web: www.cairngormmountain.
co.uk

Mountain Facts:
Summit: 1,100m
Base: 550m
Vertical Drop: 550m
Trails: 35
Lifts: 11
Gondolas/Cable Cars: 1
Restaurants: 45
Location: Edinburgh 192km

Golf Course:
Spey Valley Golf Course:
Macdonald Aviemore Highland
Resort,
Aviemore, Dalfaber,
Aviemore PH 22 1PN
Tel: +44 844 879 9152
Email: info@speyvalleygolf.com

Course Review:
* Founded: 2006Year
* Designer: Dave Thomas
* Championship Length:
  7,118Yards
* Par: 72
* Type: Parkland
* Remarks: www.
  macdonaldhotels.co.uk/our-
  hotels/macdonald-aviemore-
  resort/golf

U.K. Scotland 포트 윌리엄 Nevis Range

스코틀랜드 하일랜드 지역에 위치한 도시로 인구는 약 1만여 명이며 하일랜드 인버네스 Inverness 에 이어 2번째로 인구가 많은 도시이다.

영국에서 가장 높은 벤네비스 산 Ben Nevis, 해발 1,344m 기슭에 위치하며 남쪽으로 고대 화산지역인 글렌코 Glen Coe 가, 동쪽으로 아어나치모 산 Aonach Mor, 해발 1,221m, 서쪽으로 고요한 글렌 피난 Glenfinnan 이 위치한다.

린네 호 Loch Linnhe 끝에 연한 포트 윌리엄 Fort William 은 등산, 하이킹, 스키 등을 즐길 수 있는 곳으로 큰 호수와 산맥 등 천혜의 자연환경으로 레저스포츠를 즐기기에 부족함이 없는 곳이다.

네비스 레인지 Nevis Range 스키장은 포트 윌리엄 도심으로부터 약 11km 근거리로 10여 분이면 도착한다. 스키 슬로프는 초보자 코스부터 상급 파우더 코스까지 다양하며 슬로프가 넓어 스키 즐기기에 아주 편하다. 주차장에서 곤돌라가 1대가 운행하는데 스키장 베이스 주변 Nevisport까지 운행한다.

범프 지역도 많아 미국의 유명 선수인 워렌 밀러 Warren Miller 는 촬영 장소로 이용하기도 했다. Back Corries Off-Piste 지역으로 스키장 구역 Coire Dubh 과 절벽의 스키장 외 구역 Summit Corrie, Coire an Lochan 에서 멋진 파우더 스킹도 해보고 정상인 아어나치 모 *Aonach Mor* 산에서 주변을 돌아보면 장엄한 자연의 위대함 앞에 저절로 숙연해진다. 총 12Lifts, 35Pistes, 정상 고도 1,221m, 수직 고도 671m 총면적 1,559Acre 규모이다.

비수기에는 클라이밍, 트래킹, 하이킹 족들이 찾아오며 국제적인 산악자전거대회 *UCI* 도 열린다. Apre-Ski로 시내에서 맛있는 각종 요리의 맛을 즐기고 장엄한 산과 호수가 어우러진 힐링 코스도 돌아보자. 영국 최초의 글렌코 *Glencoe* 스키장도 1시간의 근거리에 있다.

www.nevisrange.co.uk

Travel Information

Skiing Facts:
네비스 레인지 Nevis Range
Torlundy, Fort Willliam
Inverness-shire, PH33 6SQ
Tel: +44 1397 705 825
Email: info@nevisrange.co.uk
Web: www.nevisrange.co.uk

Mountain Facts:
Summit: 650m
Base: 90m
Vertical Drop: 560m
Trails: 35
Lifts: 11
Gondolas/Cable Cars: 1
Restaurants: 10
Location: Fort William 12km

Golf Course:
Fort William Golf Club
North Road, Torlundy,
Fort William PH33 6SN
Tel: +44 1397 704464
Email: fortwilliam01@
btconnect.com

Course Review:
* Founded: 1976Year
* Designer: -
* Championship Length:
6,217Yards
* Par: 72
* Type: Parkland
* Remarks: www.
fortwilliamgolfclub.co.uk

U.K. Scotland 세인트 앤드루스 St Andrews

세인트 앤드루스 St Andrews 는 영국 스코틀랜드 동부 해안에 있는 도시이다. 에든버러 Edinburgh 에서 북동쪽으로 50km 거리에 있다. 스코틀랜드에서 가장 오래된 세인트 앤드루스 대학교 The University of St Andrews 가 있다. 이 대학은 옥스브리지 Oxbridge, Oxford & Cambridge 다음으로 영국에서 명성이 높다.

세인트 앤드루스는 전 세계 골프의 발상지로 유명하다. 세인트 앤드루스 골프 클럽 St Andrews Golf Club 에는 영국 왕립 골프협회 Royal and Ancient Golf Club of St Andrews 본부가 있으며 디 오픈 The Open, 1st.1860Year 챔피언십을 개최하고 골프 규칙을 주관한다

인구는 16,800명이며 에든버러에서 버스나 열차가 운행되는데 열차는 루카스역 Leuchars railway station 에서 바꿔타고 세인트 앤드루스행 열차로 갈아타야 한다.

Travel Information

Golf Course:
St. Andrews Golf Links
7 Pilmour Links, St Andrews,
Fife, KY16 9JG,
Scotland, U.K.
Tel: +44 1334 478639
Fax: +44 1334 474086
Email:
info@linksgolfstandrews.com

Course Review:
* Founded: 1764Year
* Designer: Old Tom Morris
* Championship Length:
  6,933Yards
* Par: 72
* Type: Links
* Remarks: www.
  linksgolfstandrews.com

세인트 앤드루스는 전 세계 골프의 발상지로 유명하다
세인트 앤드루스 골프클럽에는 영국 왕립 골프협회 본부가 있으며
디 오픈챔피언십을 개최하고 골프 규칙을 주관한다

St Andrews

Finland 키틸래 Yllas, Levi

라피 지역 *Lappi* 은 핀란드 북부에 위치한 지역으로 '랩'인들의 땅이라는 뜻으로 중심 도시는 로바니에미 *Rovaniemi* 이며 면적은 98,984㎢, 인구는 184,000명이다.

키틸래 *Kittilä* 는 핀란드 북부 라피 지역에 위치한 도시로 인구는 6,000여 명이다. 핀란드 최대의 레비 *Levi* 스키장, 일라스 *Yllas* 스키장 등 여러 스키장들이 들어서 있으며 핀란드의 대표적인 휴양 도시이다. 북위 68도 북극권의 남단에 위치하며 헬싱키에서 1시간 반이면 키틸래 공항에 도착한다. 수도 헬싱키와 북쪽의 키틸래 사이엔 무려 20도 이상 기온 차이가 난다.

레비 *Levi* 스키장의 베이스는 시르까 *Sirkka* 로 키틸래에서 20km 거리로 약 20여 분이면 도착하며 핀란드 겨울 레포츠의 본산이다. 레비 *Levi* -키틸래 *Kittilä* -일라스 *Yllås* 스키장간 셔틀이 운행되고 있다.

레비 *Levi* 스키장의 최고봉은 레비툰투리 *해발 531m* 로 고도는 낮은 편이나 설질은 대부분 자연설로 다른 서구에 비해 월등한 편이다. 추위를 느낄 때에는 중턱의 인꾸 *Inku* 카페나 정상에 있는 뚜익꾸 *Tuikku* 레스토랑에서 휴식하도록 하자. 스키 시즌은 11월 초부터 5월 초순까지 운영한다.

www.levi.fi

일라스 Ylläs 는 핀란드에서 가장 큰 스키장으로 키틸래 Kittilä 에서 40km, 베이스 거점 도시는 Äkäslompolo와 Ylläsjärvi village이며 주민은 총 1천 명 규모로 작은 마을이다.

헬싱키에서 기차로 오는 경우는 Kolari 역에 하차, Kolari 역에서 일라스 Ylläs 스키장까지는 30km로 약 30분이면 도착할 수 있다. 슬로프 "Jättipitkä"는 3km로 핀란드에서 가장 길다. 스키장 운영시간은 10시부터 17시까지이며 야간 스키 19-24시 는 무료이다. Off-Piste Slope 지역이 광대하며 매년 Levi-Yllas Ski Classic 총 67km 경기가 개최되는데 유럽 전역에서 특급 선수들이 참가하는 유명한 크로스컨트리 대회이다.

www.yllas.fi

Travel Information

Skiing Facts:
Yllas,
Tunturintie 54,
95970 Äkäslompolo, Suomi
Finland
Tel: +358 1656 9721
Web: www.yllas.fi

Summit: 718m
Base: 255m
Vertical Drop: 463m
Trails: 34
Lifts: 18
Gondolas/Cable Cars: -
Restaurants: 23
Location: Pello 87km

Levi Ski Resort
Hissitie 8
99130 Levi, Lapland
Tel: +358 2079 60200
Fax: +358 1664 1247
Web: www.levi.fi

Mountain Facts:
Summit: 531m
Base: 206m
Vertical Drop: 325m
Trails: 45
Lifts: 26
Gondolas/Cable Cars: 1
Restaurants: 29
Location: Yllas 43km

Golf Course:
Levi Golf & Country Club
Golfväylä 9
99130 Levi
Finland
Tel: +358 1664 1150
Fax: +358 1664 1818
Email: golf@levi.fi

Course Review:
* Founded: 2003Year
* Designer: -
* Championship Length:
  6,329m
* Par: 73
* Type: Mtn's
* Remarks: www.levigolf.fi

Levi, Yllas

Sweden 외스퇴르순드 Åre

스웨덴 중부지역에 위치한 도시로 옘틀랜드 *Jämtland* 주의 주도이다. 면적은 27.28㎢, 인구는 약 45,000명이다. 노르웨이 트론헤임 *Trondheim* 으로 가는 길목에 위치해있다.

외스퇴르순드는 국가지원에 힘입어 동계스포츠 시설 *cross-country stadium, speed skating, snocross* 도 확충하고 올림픽 유치를 위해 도전하기도 했으며 스웨덴 동계 스포츠의 중심도시로 발전하였다. 이곳은 바이애슬론 *biathlon* , 스피드스케이팅 *speed skating* , 크로스컨트리 *cross country skiing* , 스노 크로스 *snocross* 등 세계대회가 자주 열리는 곳이다. 외스퇴르순드의 랜드마크인 로맨틱한 시청 건물과 오로라 형상을 뿜어내는 아름다운 아크투라 *Arctura* 도 관광해보자. 오레 외스퇴르순드 공항 *Åre Östersund Airport* 에서 11km로 10여 분이면 시내로 들어갈 수 있다.
www.ostersund.se

오레 *Åre* 는 스웨덴의 동계스포츠를 리드하는 최대의 스키리조트이며 인구는 1,400여 명이다. 주변의 야르펜 *Järpen* 이나 스토리엔 *Storlien* 지역주민도 오레 호텔이나 쇼핑센터, 레스토랑 등 관광업에 많이 종사하고 있다. 오레스쿠탄 *Åreskutan* 은 스웨덴 알파인스키의 센터로서 리프트를 최신식으로 교체하였다. 1954년부터 FIS Alpine World Championships을 개최하였

으며 Freestyle FIS WORLD CUP도 개최하고 있다. 스웨덴은 1984년부터 외스퇴르순드와 오레를 동계올림픽 유치 도시로 2022년 대회까지 총 7회에 걸쳐 도전하였으나 뜻을 이루지 못했다.

이곳은 Off-Piste 지역, 56km의 Cross Country 지역도 광활하여 모험을 즐기는 스키어에겐 이만한 곳도 드물다. Apre-Ski로 찬란한 밤의 풍경과 추억 어린 여흥을 맛볼 수 있는 곳이기도 하다.

주요 호텔은 호텔 카롤리넨*Hotel Karolinen*, 코퍼힐 마운틴 롯지*Copperhill Mountain Lodge*를 추천한다. 외스퇴르순드에서 오레 스키장까지는 100km로 약 1시간 30분 정도 소요된다.

오레

Courtesy of Skistar

Courtesy of Skistar

Travel Information

Skiing Facts:
Åre Ski Resorts
PO Box 53,S-83013
Tel: +46 647 17720
Fax: +46 647 17712
Email: kundtjanst@are.se
Web: www.are.se
      www.skistar.com/en/are

Mountain Facts:
Summit: 1,275m
Base: 380m
Vertical Drop: 895m
Trails: 100
Lifts: 41
Gondolas/Cable Cars: 3
Restaurants: 50
Location: Malm 100km

Golf Course:
Åre Golf Club
Box 34,830 14 Are Jamtland
Tel: +46 647 20670
Fax: +46 647 20609
Email: info@aregolfklubb.com

Course Review:
* Founded: 1980Year
* Designer: -
* Championship Length:
  5,640m
* Par: 70
* Type: Mtn's
* Remarks:
  www.aregolfklubb.com

Åre

Sweden 살렌 Salen

살렌 *Sälen* 은 약 700여 명의 주민이 살고 있으며 Dalarna 주, Malung-Sälen 지방에 위치한 지역으로 인구는 작지만 매년 겨울 시즌에는 수십만 명의 관광객이 방문하고 있다.

살렌 스키지역은 1922년에 처음으로 바살로페트 *Vasaloppet* 에서 처음 시작되었으며 현재는 Lindvallen을 포함한 총 7개의 대규모 알파인 스키장으로 널리 알려져 있으며 원주민 모라 *Mora* 족은 구스타브 바사 *Gustav Vasa* 를 기념하여 매년 3월 초에 바살로 페트 주간 *Vasaloppet Week* 에 가장 긴 90km의 크로스컨트리 경기를 주최하며 매년 5만여 명 이상이 경기에 참가하는 유명한 이벤트 행사로 발전하였다.

현재 스키스타 그룹 *Ski-Star Group* 에서는 Lindvallen, Högfjället, Tandådalen 및 Hundfjället 등 네 곳의 스키리조트를 운영하고 있다. Lindvallen과 근접한 Högfjället는 정상부에서 서로 리프트로 연결되어 있으며 Tandådalen과 Hundfjället도 서로 리프트로 연결되어 있어서 스키 타기가 편하다.

살렌에서 가장 오래된 리조트는 Högfjällshotellet로 1937년에 완성되었으며 각종 레포츠는 물론 크로스컨트리 및 알파인 스키지역으로 널리 알려져 있다.

비교적 가파른 경사의 최신 스키장은 Hundfjället과 Granfjället 스키장이 있다. 기타 Lindvallen, Näsfjället, Tandådalen, Stöten 및 Kläppen 스키지역이 있다. 수직 고도차는 대부분 크지 않아 사고 위험이 적고 양질의 눈이 스키어들을 유혹한다. 대부분의 방문객은 북유럽은 물론 세계 각지에서 가족여행지로 방문하기도 하며, 밤이면 정적이 흐르는 고요한 시골 풍경으로 북유럽 특유의 아담한 샬레풍 숙박시설이 광대하게 분산되어 있다.

인접한 국내공항은 150km 떨어진 다라 공항 *Dala Airport* 이 편리하며 살렌으로 버스를 운행하고 있다. 가장 가까운 국제공항은 220km 떨어진 오슬로 공항 *Oslo Airport* 이나 300km 거리의 스톡홀름 공항 *Stockholm Arlanda Airport* 이 있다.

Courtesy of Skistar

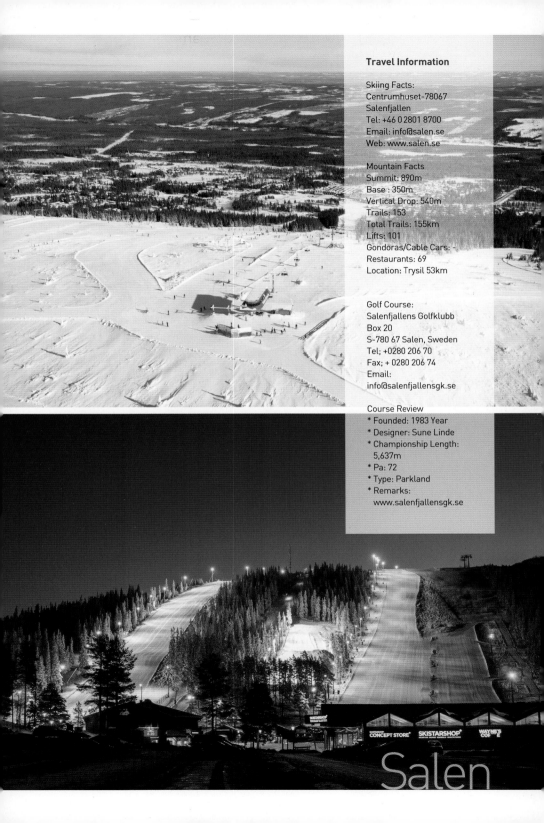

Travel Information

Skiing Facts:
Centrumhuset-78067
Salenfjallen
Tel: +46 0 2801 8700
Email: info@salen.se
Web: www.salen.se

Mountain Facts
Summit: 890m
Base : 350m
Vertical Drop: 540m
Trails: 153
Total Trails: 155km
Lifts: 101
Gondoras/Cable Cars: -
Restaurants: 69
Location: Trysil 53km

Golf Course:
Salenfjallens Golfklubb
Box 20
S-780 67 Salen, Sweden
Tel; +0280 206 70
Fax; + 0280 206 74
Email:
info@salenfjallensgk.se

Course Review
* Founded: 1983 Year
* Designer: Sune Linde
* Championship Length:
  5,637m
* Pa: 72
* Type: Parkland
* Remarks:
  www.salenfjallensgk.se

Salen

Norway 릴레함메르 Lillehammer

노르웨이 남부 내륙의 오플란드 주 *Oppland County* 에 속하며 주의 주도 이다. 인구는 26,000여 명으로 이곳에서 1952년 제6회 오슬로 동계올림픽에 이어 노르웨이에서 두 번째로 1994년 제17회 동계올림픽을 개최하였으며 2016년 유스동계올림픽 *Winter Youth Olympics* 개최지이기도 하다.

릴레함메르에서 구두 브랜드 스달렌 *Gudbrandsdalen* 계곡에 이르는 넓은 지역이 동계스포츠의 명소로 알려지게 되었고, 여름에는 하이킹을 즐기러 많이 방문하고 주요 관광지로는 마이하우겐 *Maihaugen* 박물관, Garmostave 성당, 릴레함메르 스키 점프대, 올림픽 경기장 등이 있다. 유명 관광지라서 쇼핑과 식사하기에 좋은 장소들도 많고 입양 한국인 교포 사업가가 개발한 라면 Mr. Lee 가 있는데 지금도 그 맛을 잊을 수가 없다. 수도 오슬로 *Oslo* 에서 릴레함메르 역까지 기차로 2시간이면 도착한다.

주요 스키지역은 하휘엘 *Hafjell* 과 크비트휘엘 *Kvitfjell* 스키장이 있으며 이 두 곳에서 1994년 동계올림픽 활강경기가 주로 열렸다. 릴레함메르에도 작은 스키장이 있으나 주로 크로스컨트리 총 *200km* 경기나 스키점프, 스케이팅, 기타 설상 경기가 열렸다. 하휘엘은 중급자 코스가 대부분이지만 급경사 코스도 다수 있

Photo Credit: Hafjell Alpinsenter

다. Terrain Park와 Half pipe도 있
으며 총 17Lifts, 23pistes, 정상 고도
1,030m, 수직 고도 830m, 슬로프 총
연장 80km, 크로스컨트리 300km로
상당히 긴 코스이다.
www.hafjell.no

Photo Credit: Hafjell Alpinsenter

크비트휘옐은 하휘옐에 비해 작은 규
모이며 총 6Lifts, 17pistes, 정상 고도
1,044m, 수직 고도 840m, 슬로프 총
연장 20km, 크로스컨트리 50km로
긴 편이다. 스노보더를 위한 Terrain
Park와 Half pipe도 잘 구비되어있다.
www.kvitfjell.no

Travel Information
릴레함메르 Lillehammer
P.O.Box 44, N-2601,
Lillehammer
Web: www.lillehammer.com

Skiing Facts:
하휘엘 Hafjell Resorts
Hundervegen 122, ØYER,
Norge
Tel: +47 612 77000
Email: info@hafjell.no
Web: www.hafjell.no

Mountain Facts:
Summit: 1,030m
Base: 200m
Vertical Drop: 830m
Trails: 23
Lifts: 9
Gondolas/Cable Cars: -
Restaurants: 11
Location: Lillehammer 19km

크비트휘엘 Kvitfjell Resorts
Kvitfjellvegen 471, Fåvang,
Norge
Tel: +47 612 49000
Email:
booking@hafjellkvitfjell.no
Web: www.kvitfjell.no

Mountain Facts:
Summit: 1,044m
Base: 204m
Vertical Drop: 840m
Trails: 17
Lifts: 6
Gondolas/Cable Cars: -
Restaurants: 6
Location: Lillehammer 42km

Golf Course:
Hafjell Golf AS
Nermosvegen 56
2636 Øyer
Norway
Tel: +47 6127 5580
Fax: +47 6127 5761
Email: info@hafjellgolf.no

Course Review:
* Founded: 2002Year
* Designer: Tor Eia
* Championship Length:
  4,248m
* Par: 66 9Hole
* Type: Mountains
* Remarks:
  www.hafjellgolf.no

Lillehammer

노르웨이에서 1952년 제6회 오슬로 동계올림픽에 이어

1994년 제17회 동계올림픽이 개최되었다

Norway 헴세달 Hemsedal

부스케루 주 *Buskerud fylke* 에 속한 인구 1900명의 소도시로 노르웨이에서 가장 큰 스키장인 동시에, 노르웨이 스키어들이 최고의 스키장으로 손꼽는 곳이다. 노르웨이 스키의 역사는 약 4,000년전으로 올라간다. 노르딕스키의 발상지이며 스키 발상지답게 동계올림픽에서 최대의 메달을 획득한 국가이기도 하다.

1961년에 처음 개장한 헴세달 *Hemsedal* 은 국가 주도하에 "스칸디나비아의 알프스"라는 이름의 관광개발사업에 힘입어 급속도로 성장하기 시작했다. 헴세달은 Skistar로 잘 알려진 스웨덴 회사 Sälenstjärnen 소속이며 Trysil Ski Centre, Sälen and Åre 등이 있다.

헴세달은 초보자부터 상급자 코스까지 다양하게 슬로프가 조성되어 있으며 모든 연령대의 고객을 위한 장소로 손색이 없다. 총 21lifts, 46Pistes, 정상 고도 1,493m, 수직 고도 808m, 총면적 415Acres, 크로스컨트리 220km로 빅리조트이다. 스노보더를 위한 Terrain Park 와 Half Pipes도 잘 조성되어 있다.

헴세달은 오슬로에서 220km로 약 3시간 소요되며 열차를 이용한다면 골 *Gol* 에서 하차하여 헴세달 셔틀버스로 갈아타야 한다. 베르겐 *Bergen* 에서는 273km로

4시간 소요된다. 또한 세계적인 피요르드 _송네, 게이랑에르_ 관광지로 가는 길목에 있어서 사계절 관광객이 방문하기도 한다. 관광객의 70%는 겨울 시즌 _12-5월_ 에 내방하며 30%는 비시즌에 휴가를 즐기러 온다. 관광객 대부분은 유럽인들이다.

주변 관광지로는 울소 _Ulsåk_ 의 민속박물관 "Hemsedal Bygdetun", 투브 _Tuv_ 에 있는 폭포 "Rjukandefossen", 총 높이 475m의 환상적인 "휘디네 폭포 _Hydnefossen_", 하이킹 족이 20연봉을 오르며 즐길 수 있는 "Hemsedal Top 20" 코스, 산악자전거 코스, 빙벽등반 등 다양한 레포츠를 즐기는 종합 사계절 휴양지이다.

www.skistar.com/en/hemsedal
www.hemsedal.com

Hemsedal

Travel Information

Skiing Facts:
PO Box N-3561
Tel: +47 320 55030
Fax: +47 320 55031
Email:
Hemsedal@hemsedal.net
Web: www.hemsedal.com
www.skistar.com/en/hemsedal

Mountain Facts:
Summit: 1,493m
Base: 685m
Vertical Drop: 808m
Trails: 46
Lifts: 21
Gondolas/Cable Cars: -
Restaurants: 8
Location: Lille Hammer 107km

Golf Course:
Hemsedal G.C. 9Hole
Randen 4
560 Grondalen
Hemsedal-Norway
Tel: +47 3206 2377
Fax: +47 3206 0088
Email: post@golfhemsedal.no

Course Review:
* Founded: 1995Year
* Designer: Leif Nilsson
* Championship Length: 4,770
* Par: 68
* Type: Woodland
* Remarks:
  www.golfhemsedal.no

헴세달

헴세달은 송네 피요르드 관광지로 가는 길목에 위치하며
노르웨이 스키어들이 최고의 스키장으로 손꼽는 곳이다

Norway 보스 Voss

보스 *Voss* 의 거점 도시는 베르겐 *Bergen* 으로 이곳에서 열차로 쉽게 이 동할 수 있으며 1시간 10분 정도 소요 된다. 베르겐은 노르웨이 제2의 도시로 서 작곡가 그리그의 출생지이며 대형 항구로 북극항로를 비롯한 피오르 관광 의 출발지이기도 하다.

오슬로에서 직항편이나 야간열차로 베르겐행 열차 이동도 좋을 듯하다. 보스 는 호르달란 *Hordaland* 주에 속하며 베르겐으로부터 동쪽으로 약 100km 떨어 져 있으며 인구 약 6000명이 거주하는 아름다운 호수마을로 피오르 관광객들 이 많이 거쳐가는 곳으로 유명하다.

피오르를 관광하려면 보스 역에서 버스를 타고 구드방겐으로 가서 피오르를 관 광해도 되고 플램 *Flam* 행 기차를 타고 종점인 플램에 내려 피오르 관광표를 구 입하면 된다. 플램은 훌륭한 하이킹 코스도 있어서 하루 정도 묵어서 여행해도 좋은 곳이다.

보스는 높은 산과 계곡, 호수 등이 잘 어우러진 아름다운 자연환경으로 관광 산 업이 발달하였으며 스키와 수상 스포츠, 스카이다이빙, 패러글라이딩 등을 즐 기기 위해 많은 관광객들이 이곳을 찾는다. 보스 시내에는 유일한 중세 시대 건 축물인 13세기 후반에 건축된 고딕 양식의 로마 가톨릭 보스 교회 *Voss Kirke* 가 잘 보존되어 있으며 2차대전 시 파괴되었다가 1870년대 현재의 모습으로 복원

Photographer: Per Finne

Photographer: Hunnalvatn

Photographer: Per Finne

Photographer: Per Finne

되었다. 보스 역에서 도보 5분 이내의 거리에 있으며, 6월부터 8월까지 일반인의 관람이 허용된다. 1917년에 개관한 보스 민속박물관 *Voss Folkemuseum* 도 둘러볼만하고 보스 역에 위치한 전통의 플라이셔 호텔 *Fleischer's Hotel* 도 가볼 만한 곳이다. 이곳은 아름다운 전망과 잘 꾸며진 인테리어, 맛있는 뷔페 요리가 일품이다.

보스 스키장 *Voss Ski Resort* 은 베이스 지역이 두 군데 *Voss, Skulestadmo* 로 슬로프 총연장 40km, 크로스컨트리 74km의 중급 규모 스키장이다. 보스에서는 매년 FIS Freestyle World Ski Championships 경기가 열리며 아름다운 호수를 바라보며 스키타는 짜릿함은 여타 스키장과는 또 다른 느낌을 준다. 스키 시즌은 12월부터 4월까지 운영한다.

www.vossresort.no

Travel Information

Skiing Facts:
Voss Resort Fjellheisar
Bavallstunet 26
5710 Skulestadmo, Norway
Tel: +47 470 04700
Fax: +47 565 11311
Email: post@vossresort.no
Web: www.vossresort.no

Mountain Facts:
Summit: 960m
Base: 96m
Vertical Drop: 894m
Trails: 14
Lifts: 10
Gondolas/Cable Cars: 1
Restaurants: 11
Location: Bergen 110km

Golf Course:
Voss Golf og Aktivitetspark
Vangsgaten 3
5700 Voss, Norway
Tel: +47 400 04490
Fax: +47 565 18221
Email: post@vossgolf.no

Course Review:
* Founded: 1998Year
* Designer: -
* Championship Length:
  1,410m 9Hole
* Par: 36
* Type: Woodland
* Remarks: www.vossgolf.no

Voss

매년 FIS Freestyle World Ski Championships 경기가 열리며

아름다운 호수를 바라보며 라이딩하는 짜릿함은 여타 스키장과는

또 다른 느낌을 준다

Norway 트뤼실 Trysil

이곳은 국제적으로는 널리 알려지지는 않았으나 오랜 스키역사를 간직하고 있는 곳이다. 노르웨이에서는 가족 휴양지로 널리 알려져 있으며 실제로 이곳을 방문한 명사들의 후기를 읽고 보면 수많은 칭찬과 다시 가고 싶은 휴가지역이라고 칭찬을 아끼지 않는다.

1862년 1월에 최초로 국내 스키 대회가 열린 이곳은 화산 모양인 정상 *Trysilfjellet*에서 내려다보는 전망은 360도의 광활한 파노라마를 제공한다. 깨끗한 눈과 따사한 태양이 뿌려주는 화사한 햇빛은 스키의 즐거움을 배가시켜 준다. 이곳의 수빙은 너무나도 아름다우며 수빙 사이를 오가며 스키 타는 재미를 느껴보자.

스키베이스는 두 군데로 Høyfjellssenter 지역은 초입 경사는 완만하여 초급자가 즐기기에 좋은 코스가 많으며 정상 부근으로 갈수록 급경사가 나타난다. 정상에 오르면서 베이스 쪽을 바라다보면 수목과 잘 어우러진 롯지와 샬레 풍경의 조화가 더더욱 아름다워 보인다.

또 다른 주베이스 Turistsenter에서 리프트를 타고 올라보자. 아름다운 호수와 수목의 풍광은 여행자들에 많은 힐링을 부여한다.

알프스 지역보다 온도가 낮기 대문에 시즌은 보통 11월에서 시작하여 4월 말에서 5월 초까지 운영한다. 슬로프 총연장 70km, 40여 개의 리프트를 보유한 트뤼실은 스칸디나비아 중심지의 빅리조트이다. 야간스키도 운영하며 친절한 강사들은 대부분 영어를 잘 구사한다.

리프트 가격은 타 유럽 국가와 비슷하며 베이스 마을에는 레스토랑이나 미니바도 많고 두 개의 호텔에는 수영장, 사우나 등 제반 휴양 시설이 잘 갖추어져있다. 트뤼실에서 가장 가까운 공항은 오슬로 Gardermoen Airport로 공항에서 Trysilekspressen *Trysil Express* 을 이용하면 2시간 반이면 도착한다. skistar.com에 시간표가 있으며, 셔틀버스는 시내와 Turistsenter, Trysil Høyfjellssenter 베이스 사이를 운행하고 있다.

www.skistar.com/en/Trysil

www.trysil.com

Travel Information

Skiing Facts:
SKISTAR NORGE AS AVD.
Trysil Turistsenter
Storvegen 3,
NO-2420 Trysil
Tel: +47 62 45 10 00
Email: info@trysil.com
Web: www.trysil.com

Mountain Facts:
Summit: 1,100m
Base: 415m
Vertical Drop: 685m
Trails: 68 76km
Lifts: 30
Gondoras/Cable Cars: -
Restaurants: 20
Location: Salen 53km

Golf Course:
Trysil Golfklubb
Golfvegen 1
Trysil, 2420
Norway
Tel: +47 959 88410
Fax: +47 624 52031
Email: golf@trysil.com:25

Course Review:
* Founded: 1988Year
* Designer: -
* Championship Length:
  6,079m
* Par: 72
* Type: Parkland
* Remarks:
  www.trysil.com/no/a/
  trysilfjellet-golf

Trysil

북극권 1 Tromso, Nordkapp, Svalbard * **트롬쇠** Tromsø

트롬쇠 *Tromsø* 는 노르웨이 북부 트롬스 주 *Troms fylke* 트롬쇠위아 섬 *Tromsøya* 에 위치한 도시로 북쪽으로 핀마르크 주 *Finnmark fylke* 와 접하며 인구 72,000여 명의 주민이 거주한다. 트롬스 *Troms* 주의 주도로 노르웨이에 서 일곱 번째로 큰 도시로 과거에는 청어잡이의 근거지였으며 현재는 북극권 지역의 중심지로 '북극의 관문'이기도 하다.

로알 아문센 *Roald Amundsen* , 움베르토 노빌레 *Umberto Nobile* , 프리티오프 난 센 *Fridtjof Nansen* 등 여러 탐험가들이 트롬쇠에서 모여 훈련하기도 하였다.

북극권의 파리'라 불리는 트롬쇠는 오로라 관광의 최적지이며 캐나다 옐로 나 이프, 핀란드 로바니에미, 키루나 아비스코보다 겨울에 따뜻하여 북극 오로라 관광객이 많이 찾아든다.

세계에서 최북단에 있는 대학교인 트롬쇠 대학이 있고 2개의 축구 구단 트롬쇠 *I.L.,* 트롬쇠*U.I.L.* 이 있다. 트롬쇠의 중심가는 스토르가타 *Storgata* 로 쇼핑센터가 즐비하고 주요 관광지로 북극권 박물관, 폴라리아 *Polaria* 수족관 북극권 해양생물 전시관, 북극 교회 *Arctic Catedral* , 시내를 조망할 수 있는 해발고도 430m의 스 토르스테이넨 전망대 케이블카 운행도 올라가 볼만하다.

동계올림픽 유치에 도전했으나 좌절되었으며 주요 스키지역은 시내와 가까운 크로켄*Kroken*과 약 70km 떨어진 몰셀브 바르두포스*Målselv-Bardufoss* 스키 장이 있다. 크로켄 스키장은3Lifts, 14Pistes로 작은 스키장이며 몰셀브 바루 두포스*Målselv-Bardufoss* 스키장 베이스는 해발 60m, 정상 고도는 650m이며 수직 고도차는 590m로 조용한 소규모 스키장이다.

www.tromso.kommune.no / www.bardufosstun.no

Travel Information

Skiing Facts:
Kirkegata 2,Tromso
PO Box 311
N-9253, Tromso Norway
Tel: +47 7761 0000
        +47 7783 4600 Målselv-
Bardufoss
Fax: +47 77 61 00 10
Email : post@bardufosstun.no
info@visittromso.no
Web : www.bardufosstun.no

Ski Area:
* Alpine Skiing: Kroken Alpine Centre
  2 Lifts,3 Trails
Tel: +47 776 06680
* Cross-Country: Kvaloya Area
Tel: +47 776 05959

Golf Course:
Tromso Golf Park
PO Box 553,N-9252
Tromso
Tel: +47 776 33260
Email: rune@tromsogolf.com

Course Review:
* Founded: 1996
* Designer: Jan Sederholm
* Championship Length:
  5,745m
* Par: 71
* Type: Parkland
* Remarks:
  www.tromsogolf.com

Tromso

Photographer: Yngve Olsen Sæbbe

트롬소

트롬쇠는 북극권 지역 중심지로 '북극의 관문'이다

Photographer: Yngve Olsen Sæbbe

* 노르드캅 Nordkapp

노르웨이 최북단 핀마르크 주 *Finnmark fylke* 에 속한 마게르외위아 *Magerøya* 섬 최북단에 위치한 곳으로 해발 307m, 북위 71도 10분 21초에 위치하고 있다.

트롬쇠 *Tromsø* 에서 출발하면 올더 달렌 *Olderdalen*, 알타 *Alta*, 올더 피오르 *Olderfjord*, 호닝스버그 *Honningsvåg* 를 거쳐 노르드캅 *Nordkapp* 에 도착한다. 빙하와 눈, 산과 호수를 넘나들며 가다 보면 핀마르크 주 *Finnmark fylke* 의 중심도시 알타 *Alta* 에 도착한다.

알타 *Alta* 는 인구 19,000여 명으로 핀마르크 주 *Finnmark fylke* 최대 도시로 세계문화유산인 알타 암각화 *Rock Art of Alta*, 알타 박물관이 있다. E69번 도로를 따라 계속 가다 보면 원주민 사미족 마을이 나오고 올더 피오르 *Olderfjord* 부근에 가까워지면서 순록 떼 등이 눈에 많이 들어오며 풀만 가득한 초원이 계속된다. 북극지역이라 나무는 거의 보이지 않는다.

아름다운 항구 호닝스버그 *Honningsvåg* 에서 교회 *Honnigsvag Kerkje* 를 구경할 수 있고 계속 북쪽으로 오르다 보면 어느덧 노르드캅 *Nordkapp* 이 반겨준다. 이곳은 백야의 태양 *midnight sun* 도 볼 수 있고 왕 오스카 2세가 1873년에 이곳을 영토로 정하고 기념하는 비석이 묵묵히 서있다.

지하 전시관이 있고 세계 어린이들이 화합하여 만든 원형 조형물과 예배소도 있다. 2013년 8월부터 매년 Amaury Sport Organisation *ASO* 주관하에 노르웨이 북극 레이스 *The Arctic Race of Norway* 가 열리며 함메르페스트 *Hammerfest* 를 출발하여 노르드캅 *Nordkapp* 에 도착하는 사이클 코스로 노르웨이의 Thor Hushovd 선수가 최초로 우승하였다.

이 밖에도 노르웨이 최남북단을 5일간 주파하는 경기를 개최하기도 한다.

www.alta.kommune.no

www.nordkapp.kommune.no

스발바르 제도는 북극점으로부터 1050km 거리로 북극해에 위치한 노르웨이 군도의 하나이다. 트롬쇠 *Tromsø* 에서 북쪽으로 약 700km로 주도는 스피츠베르겐 *Spitsbergen* 섬의 롱예르뷔엔 *Longyearbyen* 이다.

그외 노르아우스틀라네 *Nordaustlandet* 섬과 에드게외위아 *Edgeøya* 섬이 있으며 인구는 약 2,700명으로 주로 노르웨이인이고 소규모 러시아인이 거주한다. 기상 관측과 군사상의 요충지이며 과학 기지로 널리 알려져 있다.

롱예르뷔엔 *Longyearbyen* 의 주민은 약 1,800명이다. 과거에 광산업에서 현재는 아름다운 풍경과 순록, 곰 등 야생을 보러 관광객이 많이 찾으며 겨울에는 개 썰매 경기, 북극 스키 대회 등 이벤트가 많아 경기를 즐기며 관광도 해봄직하다. 북극 스키 대회는 롱예르뷔엔 부근에서 개최되는데 세계 각국에서 참가자가 넘친다. 스키 트래킹은 Ymerbukta-Ekmannfjorden 코스가 인기 있으며 기타 3-4개 코스가 더 있다.

뉘올레순 *Ny-Ålesund* 에는 세계 여러 나라의 북극 기지가 있으며 우리나라도 세계 12번째로 북극 과학 기지 *The Arctic Dasan Station* 를 건설하였다. 주로 북극의 기상과 기후, 대기와 해양 등을 관측하고 부존자원을 연구, 탐사하고 있다. 북극 다산과학기지로 인해 우리나라는 1988년 2월 남극 킹조지섬에 이어 북극에

도 과학 기지를 운영하는 세계 8번째 국가가 됐다.

이곳 육지의 태반은 빙하로 덮여 있고 여름과 겨울의 3개월은 밤과 낮의 구별이 없다.

북극 마라톤은 매년 4월에 열리며 2016년에는 북극점 "바르네오 아이스 캠프"에서 열렸다. 총 50명이 참가하였으며 영하 26-40도의 극한 상태에서 개최되었다. 안전을 위해 매 10km마다 몸을 풀 수 있는 휴게소를 설치하고 대회를 치른다. 4시간에서 7시간을 극한상황에서 치르는 북극 마라톤, 2008년에는 우리나라 안병식 선수가 우승하기도 했다. 안병식 선수는 일본의 오노 유타카 선수와 더불어 세계 5대 오지 마라톤 대회에 참가하였다. 오지 마라톤은 남, 북극, 사하라 사막, 고비 사막, 아타 카마 사막이 대표적이다.

www.sysselmannen.no

Svalbard

북극 스키 대회는 롱예르뷔엔 부근에서 개최되는데

세계 각국에서 참가자가 넘친다

Travel Information

Skiing Facts:
Svalbard wildlife Expedition AS
Næringsbygget PO Box 164,
9171 Longyearbyen, Norway
Tel: +47 790 22222
Fax: +47 790 22223
Email: info@wildlife.no
Web: www.wildlife.no

Ski Trekking Area:
* Trollsteinen
* Ymerbukta-Ekmannfjorden
* Nordenskiold Land
* Atomfjella-Tre kroner
* Location: Tromso 700km

Golf Course:
Svalbard: The Ice Golf
Championship &
most northerly course in the world
Svalbard wildlife Service AS
PO Box 164,N-9171
Longyearbyen
Tel: +47 790 25660
Fax: +47 790 25661
Email: info@wildlife.no
Web: www.longyearbyengolf.no
Location: Adventfjorden 9 Holes

북극권 2 Narvik, Kiruna * 나르비크 Narvik

노를란 주 *Nordland fylke* 에 속하며 북쪽의 트롬스 주 *Troms fylke* 와 접해있다. 노를란 주에서 세 번째로 큰 도시로 인구는 22,000여 명이며 오포텐 *Ofotfjorden* 협만의 반도에 위치한 자그마한 도시이다. 이곳은 과거 빅토리아 하븐 *Victoriahavn* 이라고 불렸으나 1898년 나르비크로 개칭되었다.

1902년 스칸디나비아 산지를 횡단하는 세계 최북단의 전철이 개통되어 스웨덴 북부의 키루나와 옐리바레의 철광석을 실어 내는 적출항으로 이용되고 있다.
북부 스칸디나비아반도의 군사, 경제적 요충지로 2차대전 때에는 독일과 영, 불 연합군이 치열하게 교전한 곳으로도 유명하며 과거에 많이 파괴되었으나 현재는 모두 근대 시설로 복구되었다.

여름에는 백야 현상이 50일에 이르고 겨울에는 난류의 영향으로 부동항을 이룬다. 주요 관광지로 골프장이 위치한 Elvegård와 트래킹 코스인 Bjerkvik-Bjørnfjell, 항만 Ankenesstranda, Beisfjord 주변도 돌아볼만한 지역이다.
스웨덴의 북부지역 *Norrbotten County-Lapland* 과 접해있어 키루나 *Kiruna* 의 아비스코 국립공원이나 릭스그란센 *Riksgransen* 스키장 투어도 편하다. 릭스그란센 스키장까지는 30km, 키루나는 130km 거리에 있다.

공항 *Harstad/Narvik Airport* 까지는 차로 1시간 소요된다.

이곳 유일의 나르비크 스키장은 북부 스칸디나비아 지역에서 가장 높은 875m의 수직 고도를 지닌 곳으로 곤돌라를 타고 나르비크 스키장 정상에 올라 시내를 내려다보면 환상적인 절경에 탄식이 절로 나올 것이다.

나르비크 스키장은 시내와 접해 있으며 중급 코스가 대부분이다. 1Gondora, 5Lifts, 12Pistes, 총 슬로프 11km, 크로스컨트리 12km이며 정상 고도 1,002m, 수직 고도 875m로 정상의 윗부분은 상당한 급경사지이다.

www.narvik.kommune.no

Photo Credit: Rune Dahl

Photo Credit: Kjetil Janson

Narvik

나르비크 스키장은 북부 스칸디나비아 지역에서

가장 높은 수직 고도를 지닌 곳으로

정상에 올라 내려다보면 여행자 스스로 숙연하게 된다

Travel Information

Skiing Facts:
Narvikfjellet AS
PO Box 335
No-8505 Narvik
Tel: +47 798 77280
Email: info@narvikfjellet.com
Web: www.narvikfjellet.com

Summit: 1,002m
Base: 127m
Vertical Drop: 875m
Trails: 12
Lifts: 4
Gondolas/Cable Cars: 1
Restaurants: 12
Location: Narvik 6km

Golf Course:
Narvik Golfklubb
Sandmoveien 1
8523 Elvegard
Tel: +47 769 51201
Fax: +47 769 50333
Email: info@narvikgolf.no

Course Review:
* Founded: 1992Year
* Designer: Jan Sederholm
* Championship Length:
  5,884Yards
* Par: 72
* Type: Woodland
* Remarks:
  www.narvikgolf.no

북극권 2 Narvik, Kiruna * 키루나 Kiruna

　　스웨덴 최북단의 노르보텐 주 *Norrbotten län* 에 위치한 광산도시로 면적은 16.53㎢, 인구는 18,000여 명이다. 광석이 여름에는 키루나에서 발트해로, 겨울에는 노르웨이의 부동항 나르비크 *Narvik* 로 운반되어 수출된다.

키루나에는 6,000여 개에 달하는 아름다운 호수가 있으며 "유럽의 마지막 야생지"라고 불릴 만큼 아름다운 곳이다. 또한 릭스그란센 *Riksgransen* 스키장과 절경의 아비스코 *Abisko* 국립공원이 있으며 이곳에 기차역이 생기면서 관광객들이 트래킹을 즐기러 들어오기 시작했다.

아비스코 국립공원은 1909년 설립된 광활한 자연공원으로 또르네트로스크 *Torneträsk* 호수 남쪽에 위치해 있으며, 스웨덴에서 가장 햇볕이 강한 곳 중의 하나이다. Njulla 산에 올라 바라다보는 아비스코 국립공원의 전망은 그야말로 환상적이다. 노르웨이의 나르비크에서 가깝고 연결되는 기차가 있어서 편리하다.

키루나에는 우주물리연구소, 우주 공과대학 등 우주 관련 시설이 있으며 개 썰매 투어는 인기가 많다. 세계 유일의 얼음호텔 *Jukkasjarvi* 을 운영하는데 세계에서 하나뿐인 이곳은 얼음 침대 객실이 100여 실 마련되어 있다. 한해 평균

6000여 명의 투숙객이 묵어가며, 관광객도 5만 명 정도가 다녀가는 명소이다.
주요 스키지역은 시내와 가까운 소규모의 키루나 스키장과 비외르끌리덴
Björkliden, 릭스그란센 스키장 등이 있다. 릭스그란센 스키장은 중급 규모로
정상 부근에는 Off-Piste 지역도 널리 분포하고 총 6Lifts, 34Pistes, 총 슬로
프 24km, 크로스컨트리 8km이며 정상 고도 910m, 수직 고도 410m, 총면적
은 104Acres이다.
비외르끌리덴 스키장은 릭스그란센 역에서 23kmm 떨어져 있으며 총 5Lifts,
24Pistes, 크로스컨트리 45km이며 정상 고도 958m, 수직 고도 530m이며 두
스키장 모두 스웨덴 최북단 "Lapland"지역에 속한다.
www.Laplandresorts.se

Riksgransen

릭스그란센 스키장과 절경의 아비스코 국립공원은
"유럽의 마지막 야생지"라고 불릴 만큼 아름다운 곳이다
또한 기차역이 생기면서 트래킹을 즐기러 많은 여행객이 방문한다

Travel Information

Skiing Facts:
Riksgransen
Bjorklidenvagen 70
98193 Bjorkliden
Tel: +46 980 64100
Email: info@riksgransen.se
Web: www.riksgransen.se

Summit: 910m
Base: 500m
Vertical Drop: 410m
Trails: 34
Lifts: 6
Gondolas/Cable Cars: -
Restaurants: 4
Location: Narvik 30km

Golf Course:
Björkliden Golf Club
Björkliden Fjällby
981 93 Björkliden, Sweden
Tel: +46 980 64100
Fax: +46 980 41080
Email: info@bjorkliden.com

Course Review:
* Founded: 1929Year
* Designer: Sune Linde
* Championship Length:
  1,800m
* Par: 36
* Type: Woodland
* Remarks:
  www.bjorkliden.com

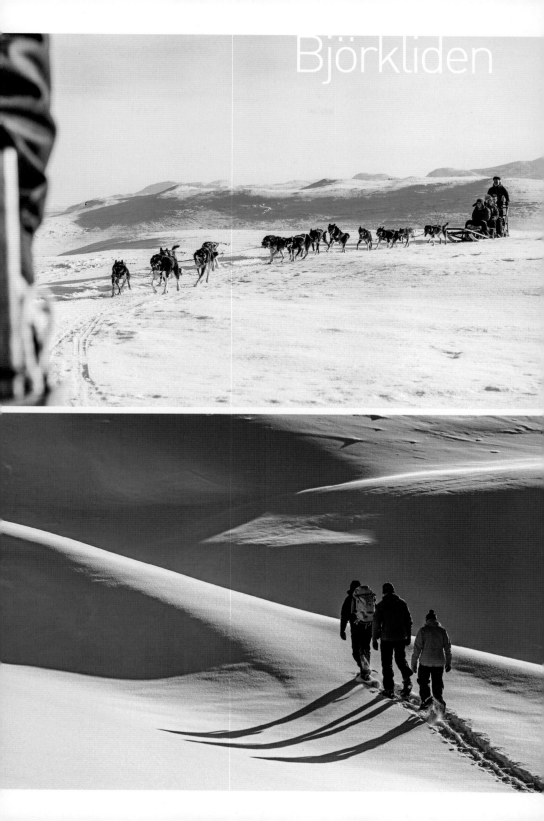

U.S.A. 베일, 비버 크릭 Vail, Beaver Creek

베일 *Vail* 스키장은 콜로라도 이글 카운티 *Eagle County* 에 속한 곳으로 덴버에서 158km 거리에 있으며 헤븐리, 파트 시티 등 세계적인 스키장들을 소유한 그룹이다.

콜로라도 베일 *Vail* 은 인구 5,000여 명의 작은 마을로 1962년 스키장 오픈 이후 올림픽을 유치하였으나 주민들이 자연훼손을 우려해 반납하기도 했다.

전 세계 수많은 스키어들이 꿈꾸는 스키여행지이자 세계적인 부호들이 겨울 휴양지로 많이 찾고 있는 곳이다. 세계적인 리조트답게 고급 쇼핑센터에 유명 브랜드상품들이 넘쳐나고 로키 산록 특유의 색깔들을 볼 수 있어 편안한 느낌을 받는다. 다운타운은 라이온스 헤드와 베일, 두 군데로 되어있는데 빌리지에서 곧바로 산 정상으로 향하는 곤돌라와 리프트들이 수없이 운행하며 비버 크릭 스키장 왕복 셔틀버스도 운행하고 있다.

북미의 스키 천국으로 널리 알려진 휘슬러 *Whistler* 와 달리 이곳은 빅리조트이면서도 다이내믹한 피스트, Back Bowl의 광활한 파우더 스키 매력에 빠지기도 한다. 라이온스 헤드에서 곤돌라를 타고 정상에 오르면 수백 개의 다양한 코스와 온통 파우더가 반겨준다. 정상 뒷부분의 백 볼지역은 단지 리프트가 서너 개

만 운행 중인데 알프스 못지않은 자연설로 덮여있어 진정한 스킹의 맛을 느낄
수가 있다.

비버 크릭과 함께 매년 FIS WORLD CUP 경기가 열리기도 하며 전율이 느껴
지는 국제적인 코스들을 라이딩해볼 수도 있다. 특급 리조트 설계와 다양한 코
스는 전 세계에서 관광객이 몰려올 수밖에 없다. 이곳에서 필자는 세계 부호들
과 수준급 선수들이 많이 찾아오는 이유를 발견할 수 있었다. 총 5,290Acres로
Park City Mountain Resort, Big Sky Resort와 더불어 미국의 3대 빅리조트
이다. 덴버공항에서는 로키 산록의 베일, 아스펜, 스팀보트 등 여러 스키리조
트로 가는 직통 셔틀버스가 대기하고 있다.

www.vail.com

모든 스키어들이 가고 싶은 넘버원 스키장이다

Vail

Travel Information

Skiing Facts:
Vail Resort
PO Box 7,Vail,CO 81658
Tel: +1 970 754 2500
Email:
vailinfo@vailresorts.com
Web: www.vail.com

Mountain Facts:
Summit: 3,525m
Base: 2,475m
Vertical Drop: 1,050m
Trails: 193
Lifts: 32
Gondolas/Cable Cars: 1
Restaurants: 110
Location: Denver 120km

Beaver Creek Resort
26 Avondale Lane
Avon,CO 81620
Tel: +1 970 754 4636
Email: comments@vailresorts.
com
Web: www.beavercreek.com

Mountain Facts:
Summit: 3,487m
Base: 2,256m
Vertical Drop: 1,231m
Trails: 150
Lifts: 25
Gondolas/Cable Cars: -
Restaurants: 62
Location: Denver 130km

Golf Course:
Vail G.C.
1778 Vail Valley Dr.
Vail,CO 81657
Tel: +1 970 479 2260
Fax: +1 970 479 2355

Course Review:
* Founded: 1962Year
* Designer: Ben Krueger
* Championship Length:
  7,024Yards
* Par: 71
* Type: Mtn's
* Remarks:
  www.vailgolfclub.net

베일

광활한 백 볼의 파우더 스킹은
스키어들의 가슴을 요동치게 한다

U.S.A. 스팀보트 Steamboat

스팀보트 스프링스 *Steamboat Springs* 는 콜로라도 주 북서부의 도시로 라우트 카운티 *Routt County* 에 속하며 목축과 낙농업, 관광업이 주산업으로 인구 12,000여 명이 거주하는 리조트형 도시이다.

스팀보트 스키장 *Steamboat Resort* 은 1963년에 설립되었으며 최근에는 3년 내내 스키 메거진 프리미엄 가족리조트에 선정되기도 했으며 주인이 바뀌어 현재는 아스펜 스키장 그룹에 속해있다.

메디신 바우-라우트 국립공원 *Medicine Bow-Routt National Park* 내에 속한 곳으로 여름에는 골프, 하이킹, 등산, 산악자전거, 테니스 등을 즐길 수 있으며 겨울에는 많은 적설량으로 스키나 스노보드, 크로스컨트리 스키 등을 즐기러 북미 전역에서 내방하는 관광명소이다.

덴버에서는 스팀보트 스프링스까지 약 3시간 _267km_ 정도 걸리며, 스팀보트 스프링스에서 스키장까지는 버스로 10분 정도 소요된다. 근교에 로키 국립공원 _Rokcy Mountain National Park_ 이 있어서 연중 관광객이 찾아든다.

스팀보트 스키장은 한국의 대명리조트, 일본 홋카이도 루스츠 리조트, 중국 허베이성 완롱 스키리조트, 러시아 사할린 고르니 보즈두후 리조트와 제휴가 되어 있어서 시즌권이 있으면 서로 교환하며 이용할 수가 있다.

스팀보트는 콜로라도 대다수 스키장에 비해 해발이 높고 적설량이 많으며 콜로라도에서는 최고의 설질을 유지하고 시즌도 길어 5월 중순까지 운영한다.

슬로프는 중, 상급 코스가 대부분으로 중급자라면 선샤인 리프트 이용을 권한다. 안전을 위해 스키장 지도를 항상 소지해야 하며 전문가라면 East Face 코스를 추천하고 싶다.

스팀보트 스키장은 Mount Werner, Sunshine Peak, Storm Peak, Thunderhead Peak, Pioneer Ridge and Christie Peak를 축으로 총 2,965Acres의 넓은 스키장으로 야간스키도 운영 중이다.

덴버공항에서는 스키장 직통 셔틀이 운행하며 현장에서 예약할 수도 있으나 시즌에는 미리 예약을 권한다.

www.aspensnowmassexpress.com 셔틀예약 / www.steamboat.com

Steamboat

스팀보트는 목축과 광업의 주산지였으나
현재는 세계적인 스키, 등산, 골프 관광지로 탈바꿈하였으며,
가족형 리조트로 유명하다

Travel Information

Skiing Facts:
Steamboat Ski & Resort
Corporation
2305 Mt. Werner Circle
Steamboat Springs, CO. 80487
Tel: +1 970 879 6111
Fax: +1 970 871 5790
Web: www.steamboat.com

Mountain Facts:
Summit: 3,224m
Base: 2,106m
Vertical Drop: 1,118m
Trails: 165
Total Trails: -
Lifts: 20
Gondolas/Cable Cars: 1
Restaurants: 60
Location: Denver 267km

Golf Course:
The Steamboat Golf Club
26815 West US 40,
Steamboat Springs, CO 80487
Tel: +1 970 879 4295
Fax: +1 970 879 0649

Course Review:
* Founded: 1964Year
* Designer: -
* Championship Length:
  2913Yards
* Par: 35
* Type: Mtn's
* Remarks:
  www.steamboatgolfclub.com

U.S.A. 아스펜 Aspen, Snowmass

인구 6,000여 명으로 해발 2,400m에 위치한 작은 산악도시로 미국 콜로라도주 로키산맥 폐광촌을 변모시켜 1930년대 산악리조트로 개발되었으며 월터 패프케가 괴테 탄생 200주년 되던 1949년 7월 각계 명사들을 초청한 것이 출발점이 되어 이후 국제 음악제와 음악학교를 유치하기 시작하면서 세계적인 음악도시로 재탄생하였다. 음악제 *Aspen Music Festival and School* 를 통해 축제기간동안 매년 10만 명의 관광객이 찾는다.

아스펜 *Aspen* 은 20세기 중반에 접어들면서 특급 스키 리조트로 개발하기 시작하였고, 20세기 후반 부유층이나 연예인 등이 아스펜에 별장을 짓게 되면서 거리에는 명품 브랜드의 부티크가 즐비한 고급 휴양지가 되어갔다. 여기 살았던 유명 인사 중에 존 덴버 *John Denver* 는 아스펜을 소재로 2곡의 노래를 발표하기도 했다. 아스펜은 예술과 스포츠의 만남으로 지역 홍보와 더불어 고객들에게 예술작품을 감상할 수 있도록 아스펜, 스노 매스 지역 산들을 배경으로 예술작품을 올리는 콜레버레이션 행사를 열기도 했다.

아스펜은 4개의 스키 구역으로 나뉘며 광활한 스키 구역을 형성한다.
아스펜 마운틴 *Aspen Mountain* , 아스펜 하이랜드 *Aspen Highland* , 스노 매스 *Snow Mass* , 버터밀크 *Buttermilk* 로 상급자는 아스펜 마운틴, 아스펜 하이랜드

초중급자는 스노 매스, 버터밀크 코스를 권한다.

스노 매스는 아스펜에서 가장 규모가 크며 중급 코스인 Big Burn 코스는 슬로프도 넓고 재미있는 코스로 콜로라도에서는 정평이 나있다. 상급 코스의 대부분은 슬로프가 베일 Vail 에 비해 좁은 편이다. 버터밀크는 가족형 휴양지로 이용하기가 좋다.

총 43Lifts, 314pistes, 최대 수직 고도 1,343m를 자랑한다. 스키장 사이에는 셔틀버스가 자주 다니는 편이며 버터밀크, 하이랜드는 3월 말까지만 스키장을 운영한다. 덴버공항에서 직통 셔틀버스로 4시간 소요되며 폭설이 내릴 경우에는 다소 비싸지만 덴버공항에서 경비행기로 아스펜공항으로 가는 방법도 있다.

www.aspensnowmass.com

Travel Information

Skiing Facts:
Aspen/Highlands
PO Box CO 81612
Tel: +1 970 925 1220
Fax: +1 970 920 0771
Email: intlres@skiaspen.com
Web:
www.aspensnowmass.com

Mountain Facts:
Summit: 3,558m
Base: 2,450m
Vertical Drop: 1,108m
Trails: 201
Lifts: 44
Gondolas/Cable Cars: 2
Restaurants: 130
Location: Aspen 4km

Snowmass
PO Box CO 81615
Tel: +1 970 923 1220
Email:
info@aspensnowmass.com
Web:
www.aspensnowmass.com

Mountain Facts:
Summit: 3,813m
Base: 2,470m
Vertical Drop: 1,343m
Trails: 91
Lifts: 20
Gondolas/Cable Cars: 1
Restaurants: 26
Location: Denver 320km

Golf Course:
Aspen Golf & Tennis Club
39551 Highway 82
Aspen, CO. 81611
Tel: +1 970 925 2145
Fax: +1 970 544 1772

Course Review:
* Founded: 1970Year
* Designer: Frank Hummel
* Championship Length:
  7,165Yards
* Par: 71
* Type: Mtn's
* Remarks:
  www.aspengolf.com

Aspen, Snowmass

아스펜은 과거 폐광촌에서 각종 국제회의 유치는 물론 국제 음악학교 유치와

음악제를 통해 세계적인 음악도시로 재탄생하여 연중 관광객으로 넘친다

U.S.A. 잭슨 홀 Jackson Hole, 그랜드 타그히 Grand Targhee Resort

잭슨 Jackson 은 와이오밍 Wyoming 주 서북부에 있는 소도시로 인구는 1만여 명이며, 해발 1900m로 로키산맥의 산악지대에 위치하며, 잭슨 홀 Jackson Hole 의 중심도시이다. 또한 그랜드 테턴 Grand Teton 국립공원의 남쪽에 위치하며, 유명한 옐로 스톤 Yellowstone 국립공원으로 가는 길목에 위치하여 관광타운으로도 널리 알려져 있다.

잭슨 Jackson 지역에는 3개의 스키지역이 있다. 잭슨 홀, 그랜드 타그히 Grand Targhee Resort, 스노우킹 마운틴 Snow King Mountain 리조트이다.

잭슨 홀 스키장은 잭슨에서 북쪽으로 20분 18km 거리로 한적한 산골 마을이었지만 1965년 오픈하여 현재는 미국 최고의 스키 리조트 중 하나가 되었다. 총 12Lifts, 116Pistes, 정상 고도 3,184m, 수직 고도 1,261m로 도전적인 코스가 많아 전문 스키어들이 많이 찾는다.

스키장 베이스는 테턴 빌리지 Teton Village 이며, 마주하는 스네이크 강 Snake River 건너에는 유명인사들이 찾는 잭슨 홀 골프클럽이 있다.

그랜드 타그히 Grand Targhee Resort 는 1969년에 오픈하였으며 잭슨에서 북서부 방향 68km, 그랜드 테턴 Grand Teton 국립공원에서 북서방향으로 13km 거

Courtesy of Jackson Hole Mountain Resort

잭슨 지역에는
3개의 스키지역이 있다

리로 스키장 대부분이 그랜드 테턴 공원 서쪽 사면에 접하고 있다. 총 4Lifts, 67Pistes, 정상 고도 3,108m, 수직 고도 671m로 중급 규모 스키장이다.

스노우킹 마운틴 스키장은 잭슨 시내 남동쪽에 위치하며 1939년에 오픈하였다. 와이오밍 주에서 제일 먼저 개발된 스키장이다.
잭슨 시내에서 세 곳 모두 정기 셔틀버스가 운행 중이며 잭슨 홀-그랜드 타그히 스키장 사이에도 정기 셔틀버스가 운행하고 있다.
한국에서 직항편은 없기 때문에 LA나 샌프란시스코, 솔트레이크 등을 경유하면 잭슨 홀 공항에 도착할 수 있다.

①,②,③ Courtesy of Jackson Hole Mountain Resort

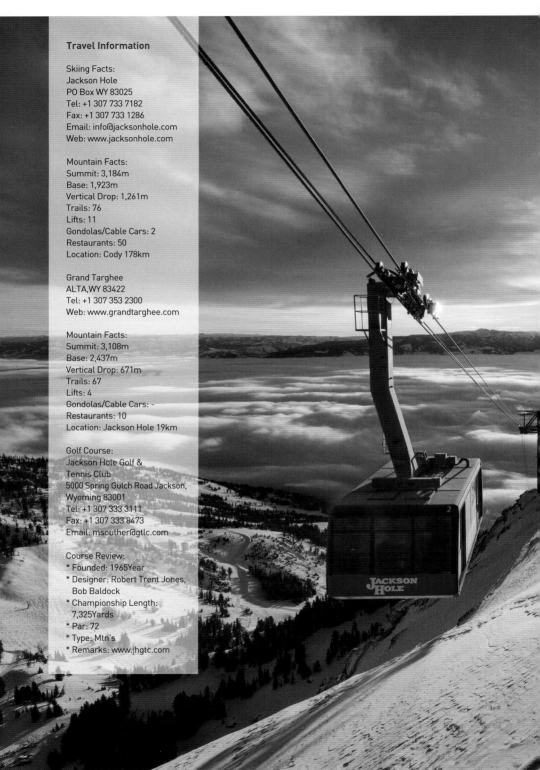

Travel Information

Skiing Facts:
Jackson Hole
PO Box WY 83025
Tel: +1 307 733 7182
Fax: +1 307 733 1286
Email: info@jacksonhole.com
Web: www.jacksonhole.com

Mountain Facts:
Summit: 3,184m
Base: 1,923m
Vertical Drop: 1,261m
Trails: 76
Lifts: 11
Gondolas/Cable Cars: 2
Restaurants: 50
Location: Cody 178km

Grand Targhee
ALTA,WY 83422
Tel: +1 307 353 2300
Web: www.grandtarghee.com

Mountain Facts:
Summit: 3,108m
Base: 2,437m
Vertical Drop: 671m
Trails: 67
Lifts: 4
Gondolas/Cable Cars: -
Restaurants: 10
Location: Jackson Hole 19km

Golf Course:
Jackson Hole Golf &
Tennis Club
5000 Spring Gulch Road Jackson,
Wyoming 83001
Tel: +1 307 333 3111
Fax: +1 307 333 8473
Email: msouther@gtlc.com

Course Review:
* Founded: 1965Year
* Designer: Robert Trent Jones,
  Bob Baldock
* Championship Length:
  7,325Yards
* Par: 72
* Type: Mtn's
* Remarks: www.jhgtc.com

잭슨홀은 옐로 스톤 *Yellowstone* 국립공원으로 가는 길목에 위치한
관광타운으로 상급 고난도의 코스가 많아 스키 고수들이 많이 찾기도 한다

잭슨 홀

U.S.A. 솔트레이크 시티 Deer Valley, Park City, Alta

솔트레이크 시티 *Salt Lake City*는 미서부 유타 주의 주도이다. 2002년 제 19회 동계올림픽을 개최한 도시이다. 연간 300만 명의 관광객이 찾는 파크시티,디어밸리는 쇼핑센터와 호텔, 레스토랑 등이 즐비하다.

디어 밸리 *Deer Valley* 리조트는 스노보더의 출입을 금지하는 몇 안 되는 스키장 중 하나이다. 2017년 Ski Megazine에서 북미 최고의 스키장으로 선정되기도 했으며 올림픽 알파인 회전과 프리스타일 경기가 열렸다. 디어 밸리에서 2km 거리에 파크시티가 있다. 총 17Lifts, 84Pistes, 정상 고도 2,917m, 수직 고도 914m, 스키장 총면적 2,026Acres로 중급 규모의 스키장이다.
www.deervalley.com

파크 시티는 1963년에 오픈하였으며, 2002년 동계올림픽에서 알파인 경기와 스노보드 경기가 열렸다. 2014년에 베일리조트 소속으로 바뀌었으며 캐니언 리조트와 통합하여 파크 시티 마운틴 리조트 *Park City Mountain Resort*로 통합 되었고 두 스키장을 오가는 대형 곤돌라 *Quicksilver Gondora*가 설치되어 미국에 서 제일 큰 7,300Acres의 메머드 스키장이 되었다. 스노보더를 위한 Terrain Park, Half Pipes도 잘 갖추어져있다.
www.parkcitymountain.com

알타Alta 스키장은 파크 시티에서 15km, 솔트 레이크 공항에서 약 40분 정도 소요되며 1939년에 오픈한 전통 있는 스키장이다. 주변의 현대적인 파크시티나 디어 벨리, 스노 버드에 비해 규모는 작지만 스키를 즐기기에는 그만이다. 스키장은 두 개의 베이스Albion, Wild Cat로 나뉘는데 셔틀버스가 자주 다니고 Sugarloaf Mountain에서 Baldy Express를 타고 스노 버드Snowbird로 연결되어 알타 스키장에서 조인트 패스권으로 양스키장을 오가며 스키를 즐길 수 있다. 디어 밸리와 더불어 스노보드는 이용이 금지되어 있다. 리프트가 저렴하고 스키어 대부분은 유타 주민이 많이 이용하며 포근한 느낌을 주는 곳이다. 스키장 총면적 2,200Acres로 중급자 코스가 많고 눈 상태는 대부분 건설 상태로 스킹의 재미가 있는 곳이다.

www.alta.com

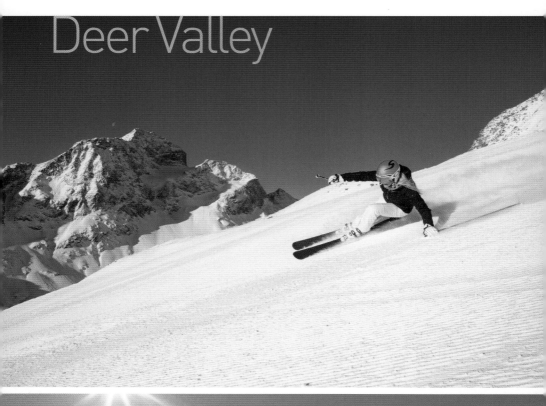

Deer Valley

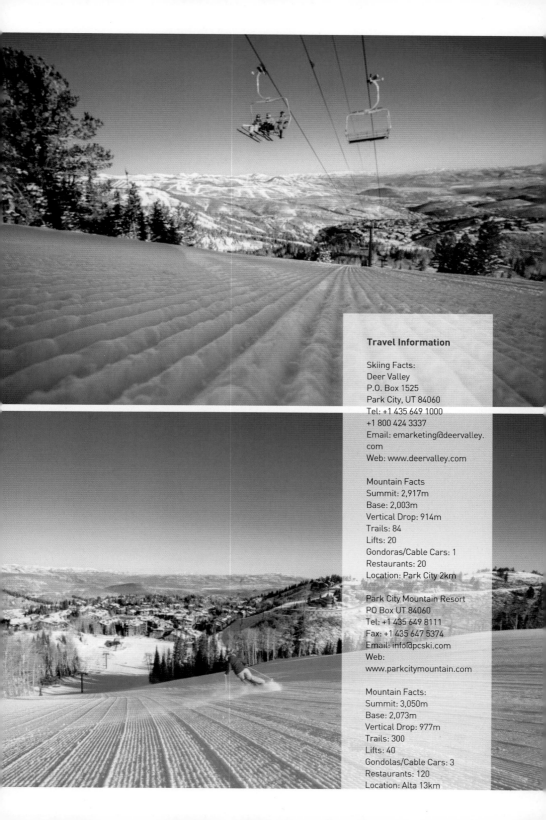

Alta Ski Area
Highway 210
Little Cottonwood Canyon
P.O. Box 8007
Alta,UT 84092
Tel: +1 801 359 1078
Email: info@alta.com
Web: www.alta.com

Summit: 3,216m
Base: 2,600m
Vertical Drop: 616m
Trails: 116
Lifts: 10
Gondolas/Cable Cars: -
Restaurants: 8
Location: Salt Lake 48km

Golf Course:
Park City G.C.
Lower Park Ave, Park City, UT
Tel: +1 435 615 5800
Fax: +1 435 615 5000

Course Review:
* Founded: 1963Year
* Designer: William Neff Jr.
* Championship Length:
  6,668Yards
* Par: 72
* Type: Parkland
* Remarks:
  www.parkcitygolfclub.org

1939년에 오픈한 전통 있는 스키장으로
스킹의 재미가 있는 곳이다

알타

U.S.A. 빅 스카이 Big Sky

몬태나 Montana 는 스페인어로 산 mountain 을 뜻하며 미국의 오지로 인구는 100여만 명으로 작은 편이며 로키 산록을 끼고 있어 매우 추운 지역이다.

빅 스카이 Big Sky 는 몬태나 주 매디슨 카운티 Madison County 에 속한 지역으로 몬태나 주 남서부에 위치하고 있다. 빅 스카이 Big Sky 는 "넓은 하늘을 가진 땅"이라는 별칭으로 로키 산록의 북부지역에 속하며 빅 스카이 남쪽으로 세계 최초 국립공원인 옐로 스톤 국립공원이 위치해 있다.

과거 NBC 뉴스 진행자인 쳇 허틀리 Chet Hutley 가 1973년에 스키장으로 개발하였는데 후에 스키, 골프장 그룹인 보인 리조트 Boyne Resorts 에서 인수하여 대대적인 확장공사를 실시하여 빅 리조트의 면모를 갖추기 시작하였다.

빅 스카이 리조트는 미국에서 파크 시티에 이어 두 번째로 큰 리조트이다. 2013년에 200Acres에 이르는 Spirit Mountain을 흡수하였고, 같은 해에 스노보드로 유명세를 치렀던 Moonlight Basin 스키장도 통합하여 Lone Mountain-Moonlight Basin 일대의 광활한 스키지역으로 확장되었다. 스키장 정상 론 피크의 전경은 많은 매스컴을 통하여 신비의 산으로 널리 알려져 있다.

Photo Credit: MichelTallichet

Photo Credit: JeffEngerbretson

Photo Credit: JeffEngerbretson

빌리지는 해발 2,000m가 넘는 고지대에 위치하고 있으며 Loan Peak Tram을 타고 3,400m 정상에 오르면 광활한 순백의 파노라마가 펼쳐지며 수많은 천연 설로 뒤덮인 슬로프 형상이 멋지게 드리워져 보인다.

스키장 총면적 5,800Acres, 정상 고도 *Lone Peak* 3,403m, 베이스 고도 2,073m, 수직 고도 1,330m로 상당하며 2Gondora, 28Lifts, 250Pistes, 가장 긴 슬로프 는 10km에 이르며 슬로프 총연장 150km가 넘는다.

비수기에는 연중 국제회의가 열리고 웨딩 장소로도 이용하며 하이킹, 마운틴 바이킹 등 다양하게 레포츠도 즐길 수 있다. 10여 년 전에는 한미 FTA 협상 장 소로 우리에게 많이 알려져 있기도 하다.

보즈만 *Bozeman* 공항에서 80km, 차로 1시간 30분 정도 소요된다.

www.bigskyresort.com

Big Sky

Travel Information

Skiing Facts:
Big Sky
PO Box MT 59716
Tel: +1 406 995 5000
Fax: +1 406 995 5001
International: +1 800 548 4486
Email: info@bigskyresort.com
Web: www.bigskyresort.com

Mountain Facts:
Summit: 3,405m
Base: 2,125m
Vertical Drop: 1,280m
Trails: 75
Lifts: 17
Gondolas/Cable Cars: 2
Restaurants: 10
Location: Bozeman 80km

Golf Course:
Big Sky G.C.
2100 Black Otter Rd
Big Sky Montana 59716
Gallatin County
Tel: +1 406 995 4706
Email: info@bigskyresort.com

Course Review:
* Founded: 1973Year
* Designer: Arnold Palmer
* Championship Length:
  6,806Yards
* Par: 72
* Type: Mtn's
* Remarks:
  www.bigskyresort.com

Photo Credit: JeffEngerbretson

U.S.A. 선 밸리 Sun Valley

아이다호 주 *State of Idaho* 는 미국 북서부에 위치하며 주도는 보이시 *Boise* 이다. 인구는 약 150만 명으로 보석의 주라고도 불린다.

아이다호 중부에 있는 조그만 산골마을 선 밸리 *Sun Valley* 스키장은 Blaine County에 속하며 더스틴 호프먼, 존 웨인, 캐서린 헵번 등 수많은 명사들의 별장들이 즐비하고 유명한 선밸리 영화제가 자주 열리며 북아메리카에서 가장 오래된 스키장으로 카약이나 래프팅, 하이킹, 골프 등 다양하게 레포츠도 즐길 수 있다.

선 밸리는 우드 리버 밸리 *Wood River Valley* 와 케첨 *Ketchum* 을 중심으로 스키장이 형성되었으며 케첨은 스키장 베이스 타운으로 최고급 식당과 호텔들이 속속 들어서면서 세계적 휴양도시로 발전하였다. 인구는 1,400여 명, 해발고도 1,805m에 위치하고 있다. 소박하고 깨끗한 풍경, 고즈넉한 이 도시는 조용히 보내는 휴양지로서 로키산맥의 최고의 자태를 나타내는 듯하다.

1930년대 유니언 철도회사가 처음으로 동서 관통 철도를 이곳을 경유하게 했는데 유니언 철도회사 회장인 William Averell Harriman에 의해 미국 최초의 스키장인 선 밸리 리조트가 탄생되었으며 1932년 Lake Placid 올림픽 성공을 거

1940년대에 개최된 스키 경기 모습

울삼아 특급 스키리조트를 만들기 위해 요세미티, 잭슨 홀 등 로키산맥 곳곳을 탐사하고 스위스 생 모리츠, 오스트리아의 키츠뷔엘 등 선진리조트를 탐방시키기도 하였다.

FIS Alpine Ski World Cup 대회가 개최되기 전에는 북아메리카에서 가장 명성 있는 스키 레이스인 The Harriman Cup이 1937년부터 선 밸리 *Sun Valley*에서 개최되었으며 미국 유명 스키어 Dick Durrance 선수가 3연패의 위업을 달성하였다.

주요 스키지역은 해발 2,790m의 볼드 마운틴 *Bald Mountain or "Baldy,"* 산록에 자리하고 초, 중급 코스는 달라 마운틴 *Dollar Mountain*에 슬로프가 형성되어 있다. 총면적 2,054Acres로 대형 스키장이며 스노보더를 위한 Half Pipes도 잘 갖추어져 있다.

가까운 공항은 선 밸리에서 남쪽으로 25km, 헤일리 *Hailey*에 있는 작은 공항으로 Friedman Memorial Airport가 있다.

www.sunvalley.com

Travel Information

Skiing Facts:
Sun valley
PO Box ID 83340
Tel: +1 208 726 3423
Fax: +1 208 726 4533
Email: ski@sunvalley.com
Web: www.sunvalley.com

Mountain Facts:
Summit: 2,790m
Base: 1,755m
Vertical Drop: 1,035m
Trails: 78
Lifts: 20
Gondolas/Cable Cars: -
Restaurants: 7
Location: Boise 156km

Golf Course:
Sun Valley G.C.
East of Sunvalley Inn
Tel: +1 208 622 2251
Email: golf@sunvalley.com

Course Review:
* Founded: 1980Year
* Designer: Robert Trent Jones Jr.
* Championship Length:
  6,892Yards
* Par: 72
* Type: Mtn's
* Remarks:
  www.sunvalley.com

U.S.A. 레이크 타호 Lake Tahoe

미서부 캘리포니아 주에 속하며 1/3은 네바다 주와 접해있다. 세계적으로 아름다운 호수 중의 하나로 태초의 신비를 간직한 아름다운 경관은 수많은 관광객들을 불러 모으고 있다. 이 방대한 호수는 둘레만 150km에 이르며 호수를 중심으로 스쿼 밸리 *Squaw Valley*, 헤븐리 *Heavenly*, 노스 스타 *North Star*, 커크우드 *Kirkwood* 등 유명 스키지역들이 자리 잡고 있으며 샌프란시스코에서 차로 4시간 거리에 있다.

대표적인 네 곳 중에서 올림픽 센터 *Olympic Center* 가 있는 스쿼 밸리를 가장 많이 찾고 있으며 이곳은 1960년 제8회 동계올림픽 개최지이고 시즌 관광객은 60만 명에 이른다. 스키 시즌은 11월부터 5월 말까지이다. 주차장에 도착하여 케이블카를 타고 오르면 스키베이스 지역에 도착한다.

올림픽 박물관도 둘러볼만하고 올림픽에 참가한 여러 국가와 더불어 태극기도 보인다. 해발 2760m 정상에 올라 레이크 타호를 바라보며 환상적인 라이딩을 해보자. 가장 긴 슬로프 마운틴 런 *The Mountain Run* 코스는 5.15km로 천혜의 절경을 마주하며 라이딩을 즐길 수 있고 Off-Piste 지역도 광대하여 화이트 천국의 진수를 느낄 것이다. 베이스 도시인 Tahoe City와는 10km 떨어져 있다.

총면적 4,000Acres에 이르는 광대한 지역이다.

www.squawalpine.com

헤븐리스키장은 스쿼 밸리와 정반대인 레이크 타호 대각선 방향으로 호수 남쪽에 연해 있다. 레이크 타호*Lake Tahoe* 지역에서 가장 규모가 큰 스키장으로 상급자 코스가 대부분이다. 상급 코스가 어려운 스키어라면 초중급자 코스가 많은 스쿼 밸리나 노스 스타를 권한다.

이곳은 스쿼 밸리처럼 주차장에서 케이블카를 타고 오르면 스키베이스 지역에 도착할 수 있다. 곤돌라와 리프트 금액이 $135로 우리나라보다 다소 비싼 편이다.

스키장 정상부는 시에라 산맥*Sierra mountain* 의 허리 부분으로 캘리포니아-네바다 경계선상에 연해 있다. 이곳은 나무가 많고 절벽 코스도 많기 때문에 슬로프 맵을 잘 숙지하고 타야 한다. 총면적 4,800Acres에 이르는 광활한 지역이다. 세계적인 베일리조트*Vail Resorts, Inc* 의 소속이며 최근 수백만 불을 투자하여 빅리조트로 변신 중이다.

www.skiheavenly.com

Squaw Valley

Credit the pictures: Squaw Valley Alpine Meadows

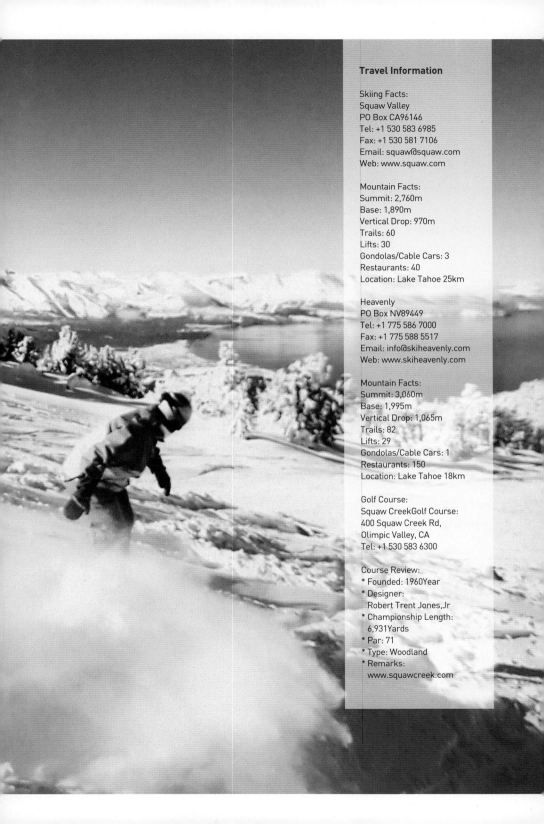

Travel Information

Skiing Facts:
Squaw Valley
PO Box CA96146
Tel: +1 530 583 6985
Fax: +1 530 581 7106
Email: squaw@squaw.com
Web: www.squaw.com

Mountain Facts:
Summit: 2,760m
Base: 1,890m
Vertical Drop: 970m
Trails: 60
Lifts: 30
Gondolas/Cable Cars: 3
Restaurants: 40
Location: Lake Tahoe 25km

Heavenly
PO Box NV89449
Tel: +1 775 586 7000
Fax: +1 775 588 5517
Email: info@skiheavenly.com
Web: www.skiheavenly.com

Mountain Facts:
Summit: 3,060m
Base: 1,995m
Vertical Drop: 1,065m
Trails: 82
Lifts: 29
Gondolas/Cable Cars: 1
Restaurants: 150
Location: Lake Tahoe 18km

Golf Course:
Squaw CreekGolf Course:
400 Squaw Creek Rd,
Olimpic Valley, CA
Tel: +1 530 583 6300

Course Review:
* Founded: 1960Year
* Designer:
  Robert Trent Jones,Jr
* Championship Length:
  6,931Yards
* Par: 71
* Type: Woodland
* Remarks:
  www.squawcreek.com

U.S.A. 맘모스 마운틴 Mammoth Mountain

LA에서 약 500km 거리에 있으며 자동차로 하이웨이 395번을 따라가다 보면 5시간 정도 소요된다. 스키 빌리지는 맘모스 레이크 *Mammoth Lakes* 로 스키장에서 6km 떨어져 있다.

시에라 네바다 산맥 중간지대의 이스턴 시에라 *Easten Sierra* 사면에 위치하며 겨울에는 스키, 비시즌에는 하이킹, 등산, 낚시, 골프, 승마, 마운틴 바이킹, 산악 마라톤 등 사계절 레저를 즐길 수 있는 종합리조트이다.

캘리포니아의 레이크 타호 *Lake Tahoe* 와 더불어 대표적인 리조트로 해발 4,000m 급의 휘트니산을 비롯한 12고봉들로 둘러싸여 있으며 요세미티 국립공원이 지근거리인 *50km* 에 위치하고 숲과 호수, 야생이 공존하는 천혜의 레저타운이다.

맘모스 *Mammoth* 는 인구 7,000여 명이 거주하는 단아한 마을이지만 골프장과 쇼핑센터, 아웃렛, 호텔, The Lincoln House, White Mountain Lodge 등 6,000실의 숙박 시설 등이 잘 되어있어서 연평균 300만 명 이상의 관광객으로 넘쳐난다.

높은 산과 호수 등 수려한 풍광과 함께 가을에는 캘리포니아에서는 볼 수 없는 시에라네바다의 광활한 단풍 풍경에 수많은 사진작가, 화가들을 불러 모은다.

12월에는 맘모스 영화제가 열리고 천연 아이스링크가 있어서 빙상대회도 열리며, 캘리포니아 지역에서 유일하게 크로스컨트리대회가 개최되기도 한다.

스키장 정상은 해발 3,369m로 총 34개의 리프트가 오르내리며 100% 자연설이며 슬로프 총연장 140km를 자랑한다.

스키장 총면적 3,500Acres, 3Gondora, 34Lifts, 156Pistes, 정상 고도 3,369m, 수직 고도 945m, 크로스컨트리 45km의 빅리조트이다.

스키 시즌은 11월 중순부터 6월 초까지 운영한다. 성수기 *12월 중순-4월 말* 에는 대도시 *LA, 샌프란시스코, 샌디에이고* 에서 맘모스 공항까지 정기항로가 개설된다.

www.mammothmountain.com

Travel Information

Skiing Facts:
Mammoth Mountain Ski Resort
PO Box 24, 1 Minaret Road
Mammoth Lakes, CA 93546
Tel: +1 619 934 2571
Fax: +1 619 934 0603
International: +1 800 626 6684
Web: www.
mammothmountain.com

Mountain Facts:
Summit: 3,370m
Base: 2,425m
Vertical Drop: 945m
Trails: 156
Lifts: 34
Gondolas/Cable Cars: 3
Restaurants: 35
Location: Lake Tahoe 170km

Golf Course:
Sierra Star Golf Club
1 Minaret Rd.
mammoth Lakes, California
93546
Mono County
Tel: +1 760 934 2060
Fax: +1 760 934 8600
Email: steve@mammothlakes.
com

Course Review:
* Founded: 1999Year
* Designer: Cal Olson
* Championship Length:
6,708Yards
* Par: 70
* Type: Mtn's
* Remarks: www.
mammothlakes.com

U.S.A. 타오스 Taos

타오스 Taos 는 뉴멕시코주 북쪽에 있는 작은 마을로 산타페 Santa Fe 에서 약 110Km 북쪽으로 해발 2124m의 고원지대이다. 타오스에는 인디언 마을, 타오스 푸에블로 Taos Pueblo 등 관광지로 유명하며 이 푸에블로는 1000여 년의 역사와 인디언의 삶이 녹아있는 곳으로 1960년에 미국 역사기념물, 1992년 유네스코 세계유산으로 지정된 곳이다.

타오스는 19세기 말부터 이곳에 매력을 느낀 예술가들이 찾기 시작하였는데 인구는 4천7백 명의 작은 마을이나 갤러리 Gallery 는 80여 개가 넘는다. 여름철에는 예술을 좋아하는 관광객이, 겨울에는 스키 마을로 미주 전역에서 방문하는 스키어들로 붐빈다.

타오스의 볼만한 코스로는 다운타운의 중심상가인 타오스 플라자 Taos Plaza, 천년의 역사를 간직한 인디언 마을 타오스 푸에블로 Taos Pueblo, 하워드 미술박물관 Harwood Museum of Art, 리오그란데 협곡 다리 Rio Grande Gorge Bridge, 어도비 Adobe 스타일로 1810년 건축한 산 프란시스코 아시스 교회 San Francisco Asis Church 등도 둘러보자.

타오스에서 북쪽으로 약 25km 가면 타오스 스키 벨리 Taos Ski Valley 스키장

이 나온다. 타오스 스키 벨리는 1954년 Ernie와 Rhoda Blake에 의해 개장되었으며 타오스 주변에는 타오스 벨리 외에도 래드 리버 *Red River*, 에인절 파이어 *Angel Fire*, 시파푸 *Sipapu* 의 세 개의 스키장이 있으며 여름철에는 리오그란데 강에서 래프팅 *Rafting* 을 즐길 수 있으며 타오스 스키 벨리의 윌리엄 호수 *Williams lake* 주변이나 휠러 봉 *Wheeler peak* 등산이나 하이킹도 해봄직하다.

타오스 스키장은 총면적 1,294Acres로 대규모 리조트이며 총 15Lifts, 110Pistes, 정상 고도 3,804m, 수직 고도 997m로 상당한 고저차이며 비교적 미대륙에서 남부지역에 속하나 스키장이 고지대에 위치해있어 설질도 중북부에 비해 결코 뒤떨어지지 않는다. 시즌에는 보통 아침 9시에 오픈하여 오후 4시까지 슬로프를 운영한다.

스키베이스는 작은 편이나 아늑한 피닉스 그릴 *Phoenix grill* 에서 그윽한 시에라네바다 *Sierra Nevada* 산 맥주를 마셔보자.

www.skitaos.com / www.taosskivalley.com

Taos

Travel Information

Skiing Facts:
Taos Ski Valley
PO Box NM 87525
Tel: +52 505 776 2291
Fax: +52 505 776 8596
Email: tsv@skitaos.org
Web: www.skitaos.org

Mountain Facts:
Summit: 3,600m
Base: 2,805m
Vertical Drop: 795m
Trails: 72
Lifts: 12
Gondolas/Cable Cars: -
Restaurants: 15
Location: Questa 24km

Golf Course:
Taos Country Club
Hwy 570 W
Ranchos de Taos, New Mexico
87557
Taos County
Tel: +52 505 758 7300
Fax: +52 505 758 1522

Course Review:
* Founded: 1992Year
* Designer: Jep Wille
* Championship Length:
  7,302Yards
* Par: 72
* Type: Links
* Remarks:
  www.taosgolfproperties.com

U.S.A. 알리에스카 Alyeska

알래스카는 울창한 원시림, 3천여 개의 강과 호수, 수많은 빙하, 빙산 등이 숨쉬는 눈의 고향이자 태초의 모습을 간직한 신비의 땅이기도 하다.

태평양 해양성 난류의 영향으로 캐나다 북부나 그린란드에 비하여 따뜻한 편이며 알래스카에서 가장 큰 도시는 앵커리지 *Anchorage* 이다. 알래스카의 주요 관광지로 수천 년의 비밀을 간직하고 있는 신비의 푸른빛의 "위디아빙하", 트래킹 코스로 유명한 "스워드 엑시트 빙하", 북미 최고봉인 맥캔리 산이 한눈에 보이는 "타키 트나 마을", 추카치 산맥을 배경으로 산과 바다, 아름다운 항만 풍경의 정취를 즐길 수 있는 철도여행 "Alaska Railroad" *앵커리지-거드 우드-스워드* 도 즐겨보자.

알리에스카 리조트는 알래스카주 최고의 스키장으로 꼽히는 곳으로 앵커리지에서 바다에 연한 환상적인 드라이브 코스 1번 국도를 따라 50여 분 *65km* 가다 보면 거드 우드 *Girdwood* 의 알리에스카 리조트 *ALYESKA RESORT*에 도착한다 아름다운 알리에스카 산과 태평양 사이에 놓여있는 이곳은 가족 단위로 스키를 즐기러 온 사람들이 많으며 중급 코스가 많고 북사면은 전문가 코스 전용이며 초급자가 즐길만한 코스도 꽤 있는 편이다. 총 1,610Acres에 펼쳐져 있는 76개의 슬로프는 엄청난 적설량 덕분에 100% 자연설이다.

백 컨트리 *Backcountry* 에서 헬리스키를 즐기려면 Alyeska Hotel Powder Lounge 에 "Chugach Powder Guides"를 신청하면 된다.

아침 9시에 출발하여 오후 5시에 복귀하는데 수직 고도차 16,000ft를 보장하는 도전 코스로 전문가가 인솔하기 때문에 상급 실력이면 걱정할 필요는 없다. 총 8Lifts, 76Pistes, 정상 고도 1,200m, 수직 고도 975m, 50km의 크로스컨트리, 스노보더를 위한 Terrain Park, Half Pipes도 잘 갖추어져있다.

알리에스카 호텔 Aurora Bar & Grill에서 맛있는 파스타나 피자, 칵테일도 즐기고 주변 트래킹을 해볼 만하다. 호텔 앞에서는 곧바로 트램 *60인용* 을 타고 스키장 정상으로 오를 수가 있으며 호텔 투숙객은 무료로 서비스해준다. 스키장 정상 세븐 글레이셔 *Seven Glacier* 레스토랑에서 창밖으로 내려다보면 천혜의 풍경에 피곤도 잊은 채 새로운 힐링을 불어넣어 줄 것이다.

www.alyeskaresort.com

Alyeska

울창한 원시림, 3천여 개의 강과 호수, 수많은 빙하, 빙산 등이 숨쉬는
눈의 고향이자 태초의 모습을 간직한 신비의 땅이다

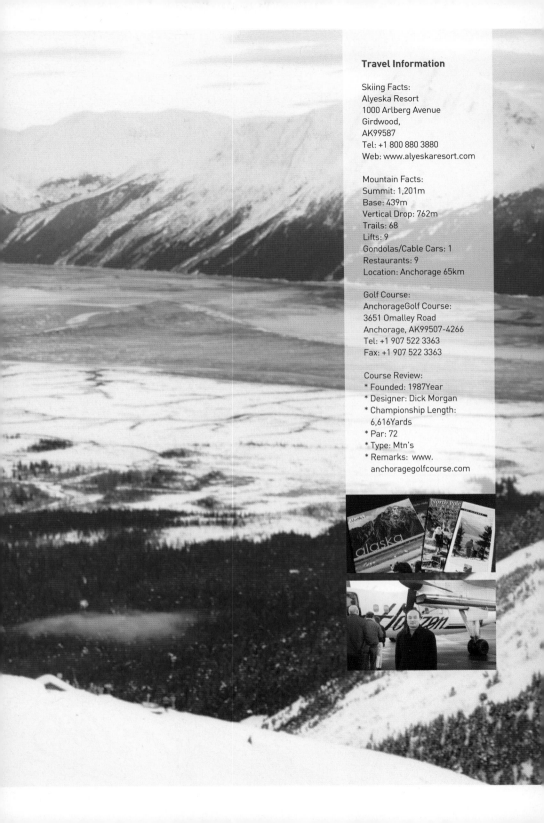

Travel Information

Skiing Facts:
Alyeska Resort
1000 Arlberg Avenue
Girdwood,
AK99587
Tel: +1 800 880 3880
Web: www.alyeskaresort.com

Mountain Facts:
Summit: 1,201m
Base: 439m
Vertical Drop: 762m
Trails: 68
Lifts: 9
Gondolas/Cable Cars: 1
Restaurants: 9
Location: Anchorage 65km

Golf Course:
AnchorageGolf Course:
3651 Omalley Road
Anchorage, AK99507-4266
Tel: +1 907 522 3363
Fax: +1 907 522 3363

Course Review:
* Founded: 1987Year
* Designer: Dick Morgan
* Championship Length:
  6,616Yards
* Par: 72
* Type: Mtn's
* Remarks: www.
  anchoragegolfcourse.com

U.S.A. 킬링톤 Killington

킬링톤 스키장은 미국 동북부 최대의 스키장으로 전문 스키어들이 많이 찾는 장소로 뉴욕주 레이크 플래시드 *Lake Placid* 와 더불어 해외 관광객들도 많이 찾는 곳이기도 하다.

미 동부 애팔래치안 산맥 *Appalachian Mountains* 줄기에 위치한 대형 스키지역으로 최대 수직 고도 930m, 27Lifts, 2Gondola, 210Trail이다.

최고봉 킬링톤 피크 *Killington Peak* 를 비롯해 6개의 봉우리들이 서로 연결되어 스키를 탈 수 있으며 1996년에는 피코 마운튼 *Pico Mountain* 도 매입하여 7개 봉우리를 오가며 스키를 탈 수 있는 스키장의 면모를 갖추고 있다.

초보부터 상급 코스까지 다양한 코스가 있으며 Off-Piste 지역의 도전적인 코스도 다수 있어 실력에 맞는 코스를 선정하여 스키를 즐길 수 있다.

미동북부에서 스키 시즌 11월 초-5월 초, 중순 이 가장 길고 시즌에도 눈이 많이 내리는 편이다.

국제적인 리조트답게 매년 FIS SKI WORLD CUP이 개최되고 있으며 스키장 오픈 시간은 9시부터 오후 4시까지이며 4시 이후에는 리프트 탑승이 불가하다.

버몬트 *Vermont* 스키장 대부분이 호텔이나 레스토랑이 적은 편이며 시즌에는

Travel Information

Skiing Facts:
Killington & Pico Mountain
4763 Killington Road
Killington, VT 05751
Tel: +1 802 422 6200
Fax: +1 802 422 6113
Email: info@killington.com
Web: www.killington.com

Mountain Facts:
Summit: 1,285m
Base: 325m
Vertical Drop: 960m
Trails: 200
Lifts: 29
Gondolas/Cable Cars: 3
Restaurants: 62
Location: Albany 134km

Golf Course:
Killington Golf Club
227 East Mountain Road
Killington, VT 05751
Tel: +1 802 422 6700
Fax: +1 802 422 6288

Course Review:
* Founded: 1983Year
* Designer:
  Geoffrey S. Cornish
* Championship Length: 6,168Yards
* Par: 72
* Type: Mtn's
* Remarks: www.killington.com

호텔비도 1박당 $300 이상 예상해야 한다. 호텔을 리조트에서 좀 떨어진 곳에 잡으면 $150-$200정 도로도 잡을 수 있는데 아침에 대부분 스키장까지 데려다준다.

교통편은 보스턴에서 탑승하여 러틀랜드*Rutland* 공항까지 1시간 10분이면 도착한다. 공항에서 리조트까지 20km, 킬링톤행 셔틀로 20분이면 호텔에 도착이 가능하다.

www.killington.com

U.S.A. 레이크 플래시드 Lake Placid

미국 뉴욕주의 애디론댁*Adirondack* 산맥 동부 쪽에 있는 인구 3,000명의 올림픽타운이다. 1932년 제3회 동계올림픽경기와 1980년 제13회 동계올림픽 경기가 개최되었다. 두 차례 겨울올림픽을 치른 도시는 오스트리아 인스브루크, 스위스 생 모리츠까지 세 곳뿐이다.

과거에는 조그만 여름 휴양지이자 작은 스키 마을이었으나 현재는 봅슬레이, 알파인 스키, 스키 점프 등 모든 동계 스포츠 시설이 국제적인 규모로 완비된 세계적 동계 스포츠 경기 장소가 되었다. 1972년 유니버시아드 동계 대회가 이곳에서 개최되었으며 2016년 7월, 레이크 플래시드 아이스 댄스 인터내셔널에서 우리나라의 민유라, 가벨린 조가 처음으로 국제 대회에서 동메달을 획득하였다.

스키 관광객도 많으나 방문자의 60%가 하계 시즌*5~9월*에 이곳을 찾는다. 올림픽 알파인 경기가 열렸던 화이트 페이스 마운틴 스키장*해발 1,483m*은 플래시드 호수마을에서 15km 떨어져 있으며 킬링톤과 더불어 미 동부에서 매력있는 스키장 중의 하나이다.

슬로프 총연장 50km로 중급 규모이며 정상 고도 1,352m, 수직 고도 1,021m, 총 1Gondora, 9Lifts, 86Pistes 스키장 총면적 282Acres이다. 스노보더를 위한 Terrain Park나 Half-pipe 시설도 잘 되어있다. 화이트 페이스*Whiteface* 산 정상에는 전망대와 레스토랑 등 휴식공간이 잘 되어있다.

레이크 플래시드 관광 디렉터 킴벌리 리엘리의 회고는 평창올림픽을 유치한 우리에게 시사하는 바가 적지 않다.
"겨울올림픽 *1932·1980년* 이 레이크 플래시드의 운명을 바꿔 놓았다. 올림픽을 통해 우리는 국제적인 지명도를 얻었고 지금은 세계가 우리를 겨울스포츠의 중심지로 생각한다."

레이크 플래시드 *Lake Placid* 는 뉴욕에서 자동차로 5시간, 알바니에서 2시간 정도 걸린다. 기차를 이용할 경우 웨스트포트 *Westport* 역에서 하차하여 레이크 플래시드 *Lake Placid* 행 버스로 갈아타야 한다.
www.whiteface.com

Travel Information

Skiing Facts:
Lake Placid
5021 Rt. 86
Wilmington, NY 12997
Tel: +1 518 946 2223
Email: ski@whiteface.com
Web: www.whiteface.com

Mountain Facts:
Summit: 1,352m
Base: 331m
Vertical Drop: 1,021m
Trails: 30
Lifts: 10
Gondolas/Cable Cars: 1
Restaurants: 4
Location: Westport 65km

Golf Course:
Whiteface Club & resort
373 Whiteface Inn Lane,
Lake Placid, NY 12946
Tel: +1 518 523 2551
Email:
golf@whitefaceclubresort.com

Course Review:
* Founded: 1898/1930Year
* Designer: John Van Kleek
* Championship Length:
  6,451Yards
* Par: 72
* Type: Parkland
* Remarks:
  www.whitefaceclubresort.com

Canada 휘슬러, 블랙콤 Whistler, Blackcomb

휘슬러 *Whistler* 는 밴쿠버 공항이나 시내 특급호텔에서 직통 셔틀이 운행되고 있으며 휘슬러 빌리지까지 약 2시간 걸린다. 태평양 연안에 위치한 밴쿠버를 출발해 광활한 자연의 파노라마를 느끼며 스키장까지 가는 길목은 즐거움을 한층 더 해준다.

휘슬러는 밴프와 더불어 헬리 스킹을 경험할 수 있는 최적의 장소이다. 보통 전통 코스로 3Run에 $1,000정도 예상해야 하며 상급자가 아니라면 말리고 싶다. 200개가 넘는 다양한 슬로프, 연간 10m가 넘는 강수량, 시야가 확 트이는 광활한 설원에 생애 처음으로 "영원히 쉬고 싶은 스키 천국"을 느껴보았다.

곤돌라를 타고 중턱에 올라 다시 리프트를 갈아타고 정상에 오르다보면 신이 내린 절경에 저절로 감탄사가 나온다. 또한 스키를 타며 광활한 숲과 계곡, 능선을 타고 넘나들다 보면 왜 유럽과 일본, 북미 스키 마니아들이 밀려들고 미국의 스키 매거진이 로키의 베일, 비버 크릭과 더불어 북미 최고의 스키장으로 평가하는지 그 이유를 알 수가 있다. 모험적인 스키어라면 이곳의 빅 팀버 *Big Timber* 코스도 도전해볼 만하다.

시즌은 주로 11월 중순에서 5월까지 운영하고, 북미에선 유일하게 빙하 코스에서 8월에 서머 *Summer* 스키를 개장한다. 유럽의 알프스는 보통 오후 3시쯤에 리프트를 마감하는데 이곳은 4시까지 운영한다.

밴쿠버 올림픽 개최 이후 많은 시설과 올림픽, 월드컵 레이싱 코스들이 많이 증설되었고 휘슬러-블랙콤 직통 트램도 건설되어 스키장 호환성이 가능해 다양한 코스에서 즐길 수가 있게 되었다.

신이 내린 자연의 경이로움을 느끼려면 반드시 가보아야 할 곳으로 추천해드리고 싶다.

www.whistler-blackcomb.com

Whistler

실크로 덮어놓은 듯한 휘슬러 정상을 바라보면
저절로 경외감이 생긴다

Blackcomb

시야가 확 트이는 광활한 설원에 생애 처음으로
"영원히 쉬고 싶은 스키 천국"이 느껴진다

Travel Information

Skiing Facts:
PO Box V0N 1B4
Tel: +1 604 932 3928
Fax: +1 604 932 7231
Email: reservation@
tourismwhistler.com
Web: www.whistler-
blackcomb.com

Mountain Facts:
Summit: 2,284m
Base: 675m
Vertical Drop: 1,609m
Trails: 230
Lifts: 30
Gondolas,Cable Cars: 3
Restaurants: 93
Location: Vancouver 100km

Golf Course:
Whistler G.C.
4010 Whistler Way
Whistler, BC V09 1B4
Tel: +1 800 376 1777
Fax: +1 604 932 4015

Course Review:
* Founded: 1983Year
* Designer: Arnold Palmer
* Championship Length:
  6,676Yards
* Par: 72
* Type: Mtn's
* Remarks:
  www.whistlergolf.com

Canada 밴프, 레이크 루이스 Banff, Lake Louise

밴프, 레이크 루이스 *Banff, Lake Louise* 는 밴프 국립공원 내에 위치하며 1885년에 캐나다 최초로 국립공원으로 지정되었다. 캘거리에서 Trans-Canada Highway를 따라가면 서쪽으로 126 km 지점에 위치해 있으며 수많

은 빙하와 울창한 수림들로 멋진 풍광을 간직하고 있다. 밴프는 밴프 국립공원 *Banff National Park* 의 중심도시로 명물, 밴프 스프링스 호텔이 우뚝 서있으며 레이크 루이스는 밴프로부터 58km의 근거리에 위치해있다.

밴프 국립공원의 루이스 호수 *Lake Louise* 는 세계 10대 절경의 하나로 평가되며 캘거리공항에서 밴프까지 운행하는 직통버스가 있어서 교통이 편리하다.

밴프 국립공원에는 세 군데의 스키지역이 있다. 선샤인 빌리지 *Sunshine Village* , 노르퀘이 *Ski Norquay* , 레이크 루이스 *Lake Louise Mountain Resort* 등이다.

레이크 루이스 스키장은 Mount Richardson, Ptarmigan Peak, Pika Peak and Redoubt Mountain을 중심으로 밴프 지역에서 가장 큰 규모로 FIS Alpine Ski World Cup과 캐나다 알파인 대회 Lake Louise Winterstart World Cup이 개최되는 메이저 스키장이다. 총 4,200Acres 1Gondora, 8Lifts, 145Piste, 정상 고도 2,636m, 수직 고도 991m, 크로스컨트리 80km를 자랑한다.

www.skilouise.com

선샤인 빌리지는 밴프 국립공원의 중
심에 위치한 스키장이다. 백 컨트리
지역은 Off-Piste 지역도 넓고 울창
한 수목 사이를 오가는 파우더 스키
도 즐거움을 더해준다. 총 3,100Acres
1Gondora, 9Lifts, 108Piste, 정상 고
도 2,729m, 수직 고도 1,071m로 스노
보드 시설이 잘 구비되어 있다.
www.skibanff.com

노르퀘이 스키장은 밴프에서 최초
*1926년*로 오픈한 곳으로 가족형 스
키장으로 널리 알려져 있다. 초급자
를 위해 3시간의 티켓도 판매하며 초
중급 코스가 많으나 급경사의 전문가
코스도 꽤 있는 편이다. 총 190Acres
6Lifts, 74Piste, 정상 고도 2,042m,
수직 고도 503m로 스노보드 시설도
잘 되어있고 야간스키도 운영한다.
www.banffnorquay.com

Sunshine Village

1885년에 캐나다 최초로 국립공원으로 지정되었으며

수많은 빙하와 울창한 숲으로 멋진 풍광을 간직하고 있다

Banff,
Lake Louise

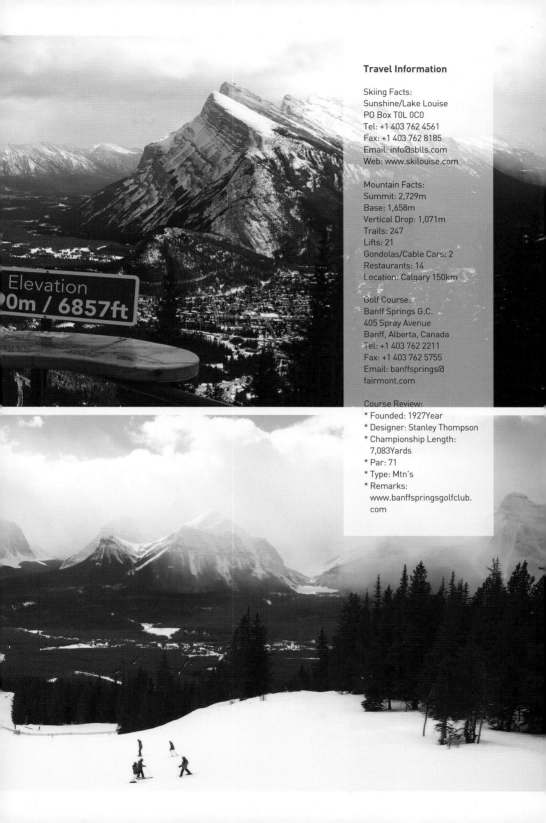

Elevation
0m / 6857ft

Travel Information

Skiing Facts:
Sunshine/Lake Louise
PO Box T0L 0C0
Tel: +1 403 762 4561
Fax: +1 403 762 8185
Email: info@sblls.com
Web: www.skilouise.com

Mountain Facts:
Summit: 2,729m
Base: 1,658m
Vertical Drop: 1,071m
Trails: 247
Lifts: 21
Gondolas/Cable Cars: 2
Restaurants: 14
Location: Calgary 150km

Golf Course:
Banff Springs G.C.
405 Spray Avenue
Banff, Alberta, Canada
Tel: +1 403 762 2211
Fax: +1 403 762 5755
Email: banffsprings@
fairmont.com

Course Review:
* Founded: 1927Year
* Designer: Stanley Thompson
* Championship Length:
  7,083Yards
* Par: 71
* Type: Mtn's
* Remarks:
  www.banffspringsgolfclub.
  com

Canada   재스퍼 마머트 베이슨 Marmot Basin

재스퍼 국립공원 *Jasper National Park* 은 태곳적 자연 그대로의 모습을 간직한 아름다운 로키 명산과 수많은 야생동물, 강과 호수가 잘 어우러진 앨버타주의 명소이다.

캐나다 여행에서 빼놓을 수 없는 재스퍼 국립공원은 전 세계 트러블러들이 선정한 죽기 전에 꼭 한 번은 가봐야 할 여행지이며, 밴프 *Banff* 에서 재스퍼 *Jasper* 까지 이어지는 약 250㎞의 고속도로인 아이스 필드 파크웨이는 로키산맥의 웅장함과 에메랄드빛 호수, 뾰족한 침엽수림이 어우러져 한 폭의 그림을 연상케 하며 전 세계 10대 드라이브 코스로 꼽히며 여행 드라이버들과 바이커들의 천국이다.

로키산맥의 골짜기 깊숙한 곳에 위치한 재스퍼는 인구 4,000여 명의 매우 작은 도시로 지도한 장이면 도보로 쉽게 목적지에 갈 수 있는 아담한 마을이다. 재스퍼 국립공원은 연간 200만 명 이상의 관광객이 찾아들며 하이킹, 래프팅, 마운틴 바이킹, 골프, 스키를 즐길 수 있는 세계적인 4계절 휴양지이다.

재스퍼 스키여행의 중심지는 마머트 베이슨 *Marmot Basin* 이다. 마머트 베이슨 스키장은 캘거리 공항에서 출발하는 로키 마운틴 스카이 셔틀버스를 이용하면 편하게 이동할 수 있다. 재스퍼에서 남쪽으로 20km 떨어진 국립공원 내에

Courtesy of Ski Marmot Basin

위치한 스키장으로 동계시즌에는 매일 재스퍼 마을에서 스키 셔틀버스가 운행된다. 스키지역은 4개 구역으로 나누어져 있고 자연설 지역이 상당히 넓게 분포되어 있어 다이내믹한 스킹의 재미를 느낄 것이다.

시즌은 11월 중순부터 5월 초까지 운영하며 앨버타의 다른 빅리조트에 비해 붐비지는 않는 편이다. 총 1,675Acres, 8Lifts, 86Pistes, 정상 고도 2,612m, 베이스 고도 1,698m, 수직 고도 914m, 가장 긴 슬로프는 5.6km이며 크로스컨트리 *300km* 와 스노보드 코스도 잘 되어 있다.

www.skimarmot.com

Courtesy of Ski Marmot Basin

Travel Information

Skiing Facts:
Marmot Basin
PO Box 1300
Jasper National Park, Alberta
Canada T0E 1E0
Tel: +1 780 852 3816
Fax: +1 780 852 3533
Web: www.skimarmot.com

Mountain Facts:
Summit: 2,612m
Base: 1,698m
Vertical Drop: 914m
Trails: 86
Lifts: 7
Gondolas/Cable Cars: -
Restaurants: 36
Location: Jasper 10km

Golf Course:
The Jasper Park Lodge G.C.
1 Lodge Road, P.O.Box 40,
Jasper, Alberta
Tel: +1 780 852 6090
Fax: +1 780 852 5107
Email: jasperparklodge@
fairmont.com

Course Review:
* Founded: 1925Year
* Designer: Stanley Thompson
* Championship Length:
  6,663Yards
* Par: 71
* Type: Mtn's
* Remarks:
  www.fairmontgolf.com

재스퍼는 연간 200만 명 이상의 관광객이 찾는
세계적인 4계절 휴양지이다

Marmot Basin

Canada 몽 트렁블랑 Mont Tremblant

유럽풍 휴양지로 캐나다 퀘벡주 남부 로렌시아 *Laurentians* 산맥에 있는 몽 트렁블랑 국립공원 *Mont Tremblant National Park* 내에 위치한다.

몽 트렁블랑은 "Joseph Bondurant Ryan"이 금광을 탐사하려고 이곳을 찾았다가 1939년 소규모 Ski Lift와 Lodge를 만들면서 프랑스풍 스키빌리지로 발전하였다. 캐나다에서 10대 스키지역으로 손꼽히며 로렌시아 *Laurentians* 지방에서 해발 *875m* 고도가 가장 높다.

스키장은 총 654Acres로 4개의 스키 구역이 있으며 North Side *Versant Nord* , South Side *Versant Sud* , Sunny Side *Versant Soleil* 와 The Edge *Versant Edge* 지역이다.

스키장 정상에는 아늑한 카페테리아 Le Grand Manitou가 있으니 충분한 휴식도 취하면서 스키를 즐기길 권한다. 이곳은 여름에도 관광객으로 넘쳐 연중 내내 오픈한다. Open-Air Gondola Cabriolet는 빌리지에서 정상으로 운행하는데 정상에 오르면 트렁블랑 호수 *Lake Tremblant* 가 발아래 펼쳐진다.

몽 트렁블랑은 2개의 저명한 골프코스가 있고 승마, 하이킹, 낚시, 보트, 사이클, 호수 크루즈, 산악자전거, 래프팅, 스파, 워터 스키, 짚라인 등 다양한 레포

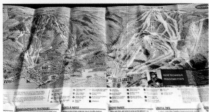

Travel Information

Skiing Facts:
Mont Tremblant Ski Resort,
1000 Chemin des Voyageurs,
Mont-Tremblant, Quebec,
Canada, J8E 1T1
Tel: +1 888 738 1777
International: +1 514 876 7273
Web: www.tremblant.ca

Mountain Facts:
Summit: 915m
Base: 265m
Vertical Drop: 650m
Trails: 94
Lifts: 11
Gondolas/Cable Cars: 1
Restaurants: 23
Location: Montreal 110km

Golf Course:
Le Maitre de Mont-Tremblant
650 Rue Grande Alle
Ville de Mont-Tremblant, Quebec
Canada, J8E 2LB
Tel: +1 819 425 9888
Fax: +1 819 425 9889

Course Review:
* Founded: 1992Year
* Designer: Fred Couples,
  Graham Cooke, Gene Bates
* Championship Length:
  7,010Yards
* Par: 72
* Type: Maunt's
* Remarks: www.tremblant.ca

츠를 즐길 수 있는 관광명소이다. 또한 국제 자동차 경주대회인 포뮬러 원 *F1* 서 킷 캐나다 그랑프리 *Circuit Mont-Tremblant* 대회가 열리기도 한다.

라 마카자—몽 트렁블랑 국제공항은 몽 트렁블랑 *Mont-Tremblant* 에서 북쪽으로 약 46km 거리에 있으며 공항에서 셔틀버스들이 운행되고 있다. 몬트리올에서 는 약 130km 거리에 있으며 1시간 30분 정도 소요된다.

www.tremblant.ca

Chile 뽀르띠요 Portillo

칠레의 수도 산티아고에서 160km로 약 2시간 거리에 있다. 칠레와 아르헨티나 국경 검문소 *Paso Internacional Los Libertadores* 직전 고갯마루에 위치하고 있다.

국경에 있는 Hotel Portillo에서 쉬어 가기도 하며 호텔 내부에는 유명 스키장답게 세계적인 유명 스키 선수들의 사인이 벽에 가득 채워져 있다. 1930년대에 최초로 스키장 설계를 시작하여 1949년부터 본격적으로 스키장을 오픈하여 현재는 칠레 호텔 *Tierra Hotels* 그룹인 Purcell family에서 운영하고 있다.

1966년 8월에는 남미 최초로 Alpine World Ski Championships 경기가 이곳에서 개최되어 프랑스 장클로드 낄리 *Jean-Claude Killy* 선수가 우승하였다.
뽀르띠요는 연평균 적설량 8m로 상당하며 딥파우더 스키의 최적지로 미국 국가대표팀, 이탈리아, 오스트리아 대표 팀 등이 매년 여름 훈련 캠프로 자주 활용하고 있으며 스키장 산 정상 *Ojos de Agua, 4,222m* 은 아콩카과 주봉들인 Los Tres Hermanos *4,751m*, La Paraya *4,831m* 봉과 근접해 있으며 Off-Piste 지역도 넓게 분포하고 경사가 커서 가끔 눈사태도 발생하기 때문에 조심해서 스키를 타야 한다. 스키 시즌은 6월 중순에서 10월 말까지 운영하며 주말에는 야간스키도 운영한다.

1966년 Alpine World Cup 경기에서 우승한 장 클로드 낄리 선수

포르티요 호텔 옆에는 큰 잉카 호수*Lake Inca*를 배경으로 야외 온천사우나도 있다. 스키지역은 1240Acres로 꽤 넓은 지역에 분포한다.

한국에서 출발 전에 산티아고 시내의 믿을만한 여행사에 미리 패키지 예약을 하는 것이 좋다. 스키 베이스 지역인 Hotel Portillo는 해발 2,880m로 상당한 고지대에 위치해있다. 숙소는 Hotel Portillo 호텔, Ski Portillo Inca Lodge, 호스텔, 펜션 등이 있으나 소규모여서 미리 예약하는 것이 좋다.

서울에서 출발하면 달라스나 LA에서 환승하여 란*LAN* 칠레나 미국 항공 델타, 아메리칸, 유나이티드 등을 이용하면 편하다.

www.skiportillo.com

뽀르띠요

스키 시즌은 6월 중순에서 10월 말이며

경사가 심해서 가끔 눈사태도 발생하기 때문에

조심해서 스킹해야 한다

331

Portillo

Travel Information

Skiing Facts:
Renato Sanchez 4270, Las Condes,
Santiago, Chile
Tel: +56 2263 0606
Fax: +56 2263 0595
Email: info@skiportillo.com
Web: www.skiportillo.com

Mountain Facts:
Summit: 3,110m
Base: 2,348m
Vertical Drop: 762m
Trails: 34
Lifts: 12
Gondolas/Cable Cars: -
Restaurants: 3
Location: Santiago 150km

Golf Course:
Los Leones G.C.
Av Presidente Riesco 3700,
Los Condos,
Santiago de Chile
Tel: +56 2719 3200
Fax: +56 2719 3229
Email: secretaria@cgll.cl

Course Review:
* Founded: 1936Year
* Designer: -
* Championship Length:
  6,902Yards
* Par: 72
* Type: Parkland
* Remarks:
  www.golflosleones.cl

Chile 바예 네바도 Valle Nevado

칠레 스키의 원조는 뽀르띠요 *Portillo* 와 파레요네스 *Farellones* 지역이 원조이다.

파레요네스는 안데스산맥의 조그만 계곡에 접해있으며 산티아고에서 36km로 1930년대부터 스키장으로 개발하여 호텔도 신축하고 유명세를 날리기도 했으나 주변에 바예 네바도 *Valle Nevado* 등 빅 3스키장 총 *7000Acres* 이 개발되면서 쇠퇴하여 현재는 몇몇 스키 코스만이 남아있으며 엘 콜로라도 *El colorado* 스키장과는 연결되어 있다.

파레요네스의 빅 3는 엘 콜로라도 *El colorado*, 라 파르바 *La Parva*, 바예 네바도로 이 세 곳의 스키장은 공용권으로 이용이 가능하다. 바예 네바도는 지구 남반구에서는 아르헨티나의 라스 레냐스 *Las Lenas* 와 더불어 쌍벽을 이루는 넓은 스키장으로 해발 3,670m 높이에 연중 8m 적설량으로 최고 설질은 물론 50% 이상이 고난도 코스로 상급자들이 많이 내방하는 스키장이다.

1988년 프랑스 회사가 총 800Ha 부지에 레자크 *Les Arcs* 스키장을 모방하여 스키리조트를 본격 개발하기 시작했으며 2013년에는 케이블카를 설치하고 호텔, 레스토랑, 쇼핑센터 등은 유럽 수준에 버금가는 시설들을 완비하였다.

헬리스키는 바예 네바도 부근 안데스산맥으로 이동하여 전문 산악가이드가 여러 코스로 유도하는데 보통 수직 고도 1,800m, 3Run에 $1600정도 지불해야 한다. Airbag 장비와 안전장치도 다 부착하여준다.

스키장 총면적 2000Acres, 1Gondora, 12Lifts, 34Pistes, 정상 고도 3,670m, 수직 고도 810m로 규모가 상당하며 스노보더를 위한 시설도 완비되어 있다. 바예 네바도는 산티아고에서 46km로 약 1시간 10분, 산티아고 공항에서는 1시간 30분*60km* 소요되며 직통버스나 봉고 셔틀, 프리미엄 택시 등이 운행되고 있다. 산티아고 시내에도 전문 렌탈숍이나 스키여행 패키지 회사가 있어서 미리 예약하면 편하다. 특히 Hotel Valle Nevado 등 숙박시설은 북미 스키어들이 대부분 예약을 해놓기 때문에 시즌 때는 공실이 거의 없으며 미리 예약해두어야 한다.

www.vallenevado.com

Valle Nevado

Travel Information

Skiing Facts:
바예 네바도 Valle Nevado
Avenida Vitacura 5250 #304,
Vitacura, Santiago
Tel: +56 2477 7000
Fax: +56 2477 7734
Email: reservas@vallenevado.com
Web: www.vallenevado.com

Mountain Facts:
Summit: 3,669m
Base: 2,880m
Vertical Drop: 789m
Trails: 19
Lifts: 9
Gondolas/Cable Cars: -
Restaurants: 6
Location: Santiago 54km

엘콜로라도 El Colorado
4900 Av. Apoquindo Loc.
47-48-Santiago
Tel: +56 2889 9210
Email: programas@elcolorado.cl
Web: www.elcolorado.cl

Mountain Facts:
Summit: 3.343m
Base: 2,437m
Vertical Drop: 906m
Trails: 19
Lifts: 18
Gondolas/Cable Cars: -
Restaurants: 7
Location: Santiago 45km

라파르바 La Parva
Av. El Bosque Norte 0177 2do.
Piso
Tel: +56 2339 8432
Fax: +56 2431 0457
Email: propiedades@
propiedeslaparva.cl
Web: www.laparva.cl/es

Mountain Facts:
Summit: 3,669m
Base: 2,699m
Vertical Drop: 970m
Trails: 20
Lifts: 14
Gondolas/Cable Cars: -
Restaurants: 2
Location: Santiago 41km

바예 네바도

해발 3,670m 높이에 연중 8m 적설량으로 최고 설질은 물론 50% 이상이

고난도 코스로 상급자들이 많이 내방하는 스키장이다

Argentina 라스 레냐스 Las Lenas

라스 레냐스 *Las Lenas* 는 부에노스아이레스 *Buenos Aires* 에서 약 1,200km 떨어진 안데스산맥 기슭에 위치한 광활한 스키장으로 멘도사 *Mendoza* 서남부에 위치하고 있다.

미국의 광대한 로키산맥의 리조트와 비교해도 손색이 없을 정도로 남미에서 단일 스키장으로는 가장 광활한 스키 면적을 자랑하며 세로 카테드랄 *Cerro Catedral* 과 더불어 아르헨티나를 대표하는 곳으로 북미지역의 스키어들이 많이 방문하는 곳으로 유명하며 커피숍, 레스토랑, 쇼핑센터, 은행, 기타 장비 대여점 등이 잘 갖추어져 있다.

1985년부터 남미에서 유일하게 FIS WORLD CUP 경기가 열려왔으며 1990년에는 Winter Pan America Games *총 8개국이 참가* 이 개최되어 미국이 우승하였다. 수직 고도 1,190m, 27piste로 시즌은 6월 중순에 오픈하여 10월 중순에 마감한다. Marte Chair *2.3km* 를 타고 Mighty Marte 정상 *해발 3,430m* 에 올라 수직 고도 1,000m 넘나드는 세계 수준급의 활강코스도 즐겨보고 Marte 정상에서 출발하는 Apolo 초 보 코스는 장장 7km의 거리로 베이스까지 상당히 긴 편이다.

교통편은 인천에서 출발 로스앤젤레스나 달라스 또는 애틀랜타를 경유하는 부에노스아이레스 *Buenos Aires* 나 산티아고 *Santiago* 행 비행기 노선이 다양하게 있다. 라스 레냐스 *Las Lenas* 에 가려면 부에노스아 이레스 국제공항이나 칠레 산티아고 국제공항에서 환승하면 직항편으로 멘도사 *Mendoza* 나 산 라파엘 *San Rafael* 도착이 가능하다. 스키 시즌에는 스키 장과 가까운 말라르그 *Malargue* 공항 운항이 증편 되면서 아주 편리해졌다.

말라르그행은 부에노스이이레스의 국내선 공항인 호르헤 뉴베리 공항 *AEP, Aeroparque Internacional Jorge Newbery* 에서 탑승할 수 있다.

수도 부에노스아이레스에 머문다면 말라르그 *Malargue* 로 직접 가는 것이 편하고 안데스의 세계 적인 명품 와인을 음미하려면 멘도사 관광도 해봄 직하다.

멘도사 지역은 아르헨티나 와인의 대부분을 생 산하고 있으며 남아메리카 최고봉인 아콩카과 *Aconcagua* 산이 있어 등산객과 관광객의 발길이 연중 끊이지 않고 있다.

www.laslenas.com

미국의 광대한 로키산맥의 리조트와 비교해도 손색이 없을 정도로
남미에서 단일 스키장으로는 가장 광활한 스키 면적을 자랑하며
세로 카테드랄과 더불어 아르헨티나를 대표하는 곳이다

Las Lenas

Travel Information

Skiing Facts:
Las Lenas Valley, Malargue,
Mendosa
Tel: +54 114 819 6000
Fax: +54 114 819 6099
Email: informes@laslenas.com
Web: www.laslenas.com

Mountain Facts:
Summit: 3,430m
Base: 2,240m
Vertical Drop: 1,190m
Trails: 20
Lifts: 13
Gondolas/Cable Cars: -
Restaurants: 6
Location: Talca 142km

Golf Course:
Mendoza Country Club
Tuyuti Y Elpidio Gonzales s/n
5503 Godoy Cruz, Mendoza,
Argentina
Tel: +54 261 431 5967
E-mail: info@
   clubdecampomendoza.com

Course Review:
* Founded: 1974Year
* Designer: -
* Championship Length:
   6,704Yards
* Par: 72
* Type: Parkland
* Remarks:
   www.clubdecampomendoza.
   com

Argentina 바릴로체 Cerro Catedral

세로 카테드랄 *Cerro Catedral* 의 거점 도시는 산 카를로스 데 바릴로체 *San Carlos de Briloche* 로 보통 바릴로체 *Briloche* 로 부른다.

바릴로체 *Briloche* 는 파타고니아 북부의 시작점이며 스페인 철수 이후 스위스와 독일 이민자들이 이곳으로 이주하면서 "남미의 스위스"라 불리게 되었으며 이민자들에 의해 개발되어 유럽풍의 도시로 발전하였다.

수도 부에노스아이레스 *Buenos Aires* 에서 1,720km 거리로 매일 직항편과 버스 *16시간 소요* 가 운행되며 칠레 산티아고에서도 직항편이 있다. 칠레 남부 관광지 푸에르토 몬트 *Puerto Montt* 에서도 버스로 국경을 넘어올 수 있다.

바릴로체근교의 관광지는 나우엘 우아피 *Lago Nahuel Huapi* 호수를 비롯하여 세로 오토 *Cerro Otto* , 세로 카테드랄 *Cerro Cathedral* , 세로 캄파나리오 *Cerro Campanario* 등이 가볼 만하다.

아르헨티나에서 라스 레냐스와 더불어 쌍벽을 이루는 세로 카테드랄 *Cerro Cathedral* 스키장은 시내에서 20km 거리에 위치하며 터미널이나 호텔에서 직통 셔틀을 운행한다.

카테드랄 베이스 *Cathedral Base* 에서 리프트를 두 번 갈아타고 오르면 푼타 프린세사 *해발 1800m* 에 도착한다. 그곳에서 다시 리프트를 타고 오르면 거대한 설산의 정상 세로 카테드랄 *해발 2388m* 에 도달한다. 세로 카테드랄 명칭은 봉우리가 성당처럼 보인다 하여 이름 붙여졌다 한다.

스키장 베이스에는 스키어는 물론 등산객들을 위해 몇몇 호텔과 호스텔도 잘 단장되어있다.

2005년에는 남미 산악스키 대회 *South American Ski Mountaineering Championship* 가 열렸으며 2017년에는 스노보드 월드컵 대회가 열렸다.

총 2,965Acres, 정상 고도 2,180m, 수직 고도 1,150m, 2Gondora, 37Lifts, 50Pistes, 크로스컨트리 15km, 슬로프 총연장 120km의 메머드 스키리조트이다.

www.catedralaltapatagonia.com

Cerro Catedral

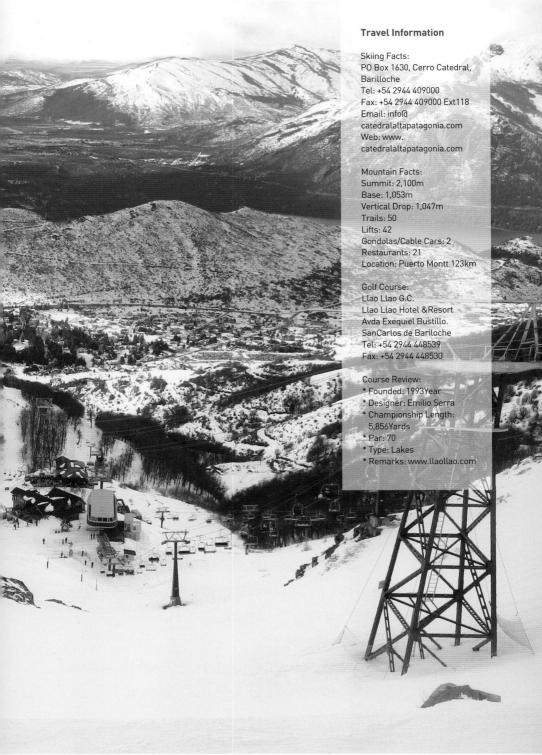

Travel Information

Skiing Facts:
PO Box 1630, Cerro Catedral,
Barilloche
Tel: +54 2944 409000
Fax: +54 2944 409000 Ext118
Email: info@
catedralaltapatagonia.com
Web: www.
catedralaltapatagonia.com

Mountain Facts:
Summit: 2,100m
Base: 1,053m
Vertical Drop: 1,047m
Trails: 50
Lifts: 42
Gondolas/Cable Cars: 2
Restaurants: 21
Location: Puerto Montt 123km

Golf Course:
Llao Llao G.C.
Llao Llao Hotel &Resort
Avda Exequiel Bustillo.
SanCarlos de Bariloche
Tel: +54 2944 448539
Fax: +54 2944 448530

Course Review:
* Founded: 1993Year
* Designer: Emilio Serra
* Championship Length:
  5,856Yards
* Par: 70
* Type: Lakes
* Remarks: www.llaollao.com

Argentina 우수아이아 Cerro Castor

아르헨티나의 티에라 델 푸에고 *Tierra del Fuego* 주의 주도로, 남아메리카 대륙에서 가장 남쪽 끝에 위치하여 '세상의 끝'이라고 불리는 남극 지방의 해상 교통 거점이다.

우수아이아 인구는 약 3만여 명으로 대서양과 태평양을 잇는 비글 해협에 위치한 남극 항로의 기점으로, 해상 교통의 중심지이다. 위치와 기후적 특성이 만들어 낸 특별한 자연환경, 티에라델푸에고 국립공원 등 관광 자원도 풍부하다.

티에라델푸에고 *Tierra del Fuego* 국립공원에서 미니 관광열차를 타고 지구의 끝에 위치한 우체국에서 고향에 엽서를 보내는 추억도 만들어봄 직하다.

쎄로 까스또르 *Cerro Castor* 스키장은 우수아이아에서 약 26km 정도 떨어진 곳으로 약 40분이면 도착한다. 이곳은 크룬드 산 *Mount Krund* 남사면을 따라 형성된 지구 최남단에 위치한 스키장으로 1999년에 처음 오픈하였으며 겨울이면 내국인은 물론 북미와 유럽에서 오는 스키어들로 넘쳐난다. 시즌은 6월 중순 ~10월 초까지 4-5개월로 스키 즐기기는 그만이다. 총 1,600Acres, 슬로프 총 연장 30km의 중급 규모의 스키장이다.

어린이와 가족단위 프로그램들도 다양하며 레스토랑도 7군데나 있어서 식사나 휴식하기도 불편함이 없고 시설관리도 잘 되어있다. 크로스컨트리 코스와

Travel Information

Skiing Facts:
쎄로 카스토르 Cerro Castor
Ruta Nac, 3, Km 26, Ushuaia
Tel: +54 2901 499301
Fax: +54 2901 430680
Web: www.cerrocastor.com

Summit: 966m
Base: 194m
Vertical Drop: 772m
Trails: 19
Lifts: 5
Gondolas/Cable Cars: -
Restaurants: 5
Location: Ushuaia 39km

Golf Course:
Ushuaia G.C.
Ruta 3 Camino a Lapataia
Tierra del Fuego-Patagonia
Tel: +54 2901 432946

Course Review: 9Hole
* Founded: 1992Year
* Designer: Gonzalo Pietro
* Championship Length:
  5,538Yards
* Par: 70
* Type Glacier Parkland
* Remarks:
  www.ushuaiagolf.com

스노보더를 위한 스노파크 시설도 잘 갖추어져있다.

2012년에는 FIS Freestyle Skiing World Cup이 개최되었고 2015년에는 국제 인터스키대회 *International Ski Instructors Association* 가 개최되어 우리나라에서 도 참가하였다.

스키장 직통버스는 시내 렌털숍이나 호텔에서 예약할 수 있고 수도 부에노스아 이레스에서 우수아이아 공항까지 약 5시간이 소요된다.

www.cerrocastor.com

Ushuaia

우수아이아는 아르헨티나의 티에라 델 푸에고 주의 주도로

남아메리카 대륙에서 가장 남쪽 끝에 위치하여 '세상의 끝'이라고 불리는

남극 지방의 해상 교통 거점이다

Korea 평창 Yong Pyong, Phoenix Park

평창, 횡계지역은 우리나라 스키의 본고장이라 하겠다.

용평스키장의 시초는 1973년 유국개발구.고원개발에서 발왕산해발 1,458m 을 중심으로 스키장 계획을 세웠으며 1975년에 최초로 오픈하여 현재에 이르렀다. 1981년 쌍용건설이 인수, 현재에는 스키장 베이스해발 700m 부터 시작해서 발왕산 정상드래곤 피크 까지 곤돌라를 설치하여 명실상부한 국제적인 리조트로 거듭나게 되었다.

국제 대회를 개최할 수 있는 레인보 슬로프에서는 매년 FIS WORLD CUP이 개최되고 있으며 총 1,716만㎡ 4240Acres 부지에 슬로프 총연장 30km로 국내 최대 규모를 자랑한다.

이곳은 2018년 평창올림픽 알파인스키 회전, 대회전 경기가 열리는 곳으로 준비에 박차를 가하고 있다. 우리나라는 아시아 국가 중 일본에 이어 두 번째로 동·하계올림픽을 모두 개최한 나라가 될 예정이며 일본과 중국은 물론 동남아시아 관광객들도 많이 내방하고 있다.

비시즌에는 골프용평 C.C, 버치힐 C.C , 워터파크 & 스파, 하이킹, 산악 MTB 등을 즐길 수 있는 사계절리조트이다.

www.yongpyong.co.kr

휘닉스 스노우파크는 용평리조트와 더불어 2018 평창 동계올림픽 공식 경기장
이며 설상 경기가 열리는 곳으로 스키장, 골프장, 워터파크 블루캐니언 등이 완비
된 종합리조트이다. 평창군 봉평면 태기산 기슭에 위치하고 총 660만㎡ 약 200만
평 부지에 총 22슬로프를 보유한 중견 스키장이다.

스키 구역은 태기산 기슭의 지형을 원형대로 보존하여 설계하였으며 해발
1,050m 태기산 정상에 위치한 몽블랑 구획과 불새 마루 구획으로 나누어져 있
다. 2018 평창 동계올림픽 모글, 에어리얼, 슬로프스타일, 평행대회전 등 프리
스타일 스키와 스노보드 종목이 열린다.

비시즌에는 몽블랑 정상에서 영화관 메가박스를 운영하고 하이킹 코스로 웰니
스 숲길과 플라잉 짚 어드벤처 등을 즐길 수가 있다. 휘닉스 C.C.는 골프 황제
잭 니클라우스가 설계한 것으로 국내 유명 골프코스 중 하나이다.

www.phoenixhnr.co.kr

Yong Pyong

용평스키장은 우리나라 스키장의 원조로 1975년 오픈한 명실상부한
국내의 탑 리조트이다. 평창올림픽 회전, 대회전 경기가 열린다.

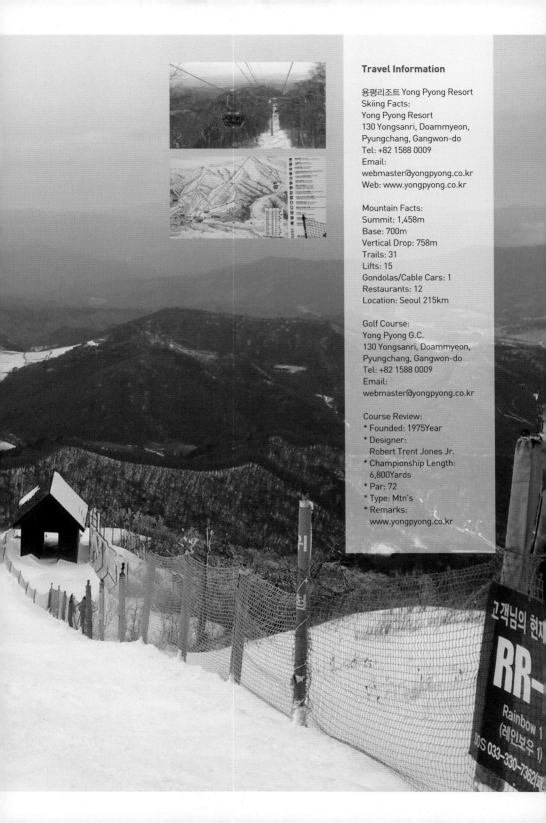

Travel Information

용평리조트 Yong Pyong Resort
Skiing Facts:
Yong Pyong Resort
130 Yongsanri, Doammyeon,
Pyungchang, Gangwon-do
Tel: +82 1588 0009
Email:
webmaster@yongpyong.co.kr
Web: www.yongpyong.co.kr

Mountain Facts:
Summit: 1,458m
Base: 700m
Vertical Drop: 758m
Trails: 31
Lifts: 15
Gondolas/Cable Cars: 1
Restaurants: 12
Location: Seoul 215km

Golf Course:
Yong Pyong G.C.
130 Yongsanri, Doammyeon,
Pyungchang, Gangwon-do
Tel: +82 1588 0009
Email:
webmaster@yongpyong.co.kr

Course Review:
* Founded: 1975Year
* Designer:
  Robert Trent Jones Jr.
* Championship Length:
  6,800Yards
* Par: 72
* Type: Mtn's
* Remarks:
  www.yongpyong.co.kr

휘닉스파크 Phoenix Park

Skiing Facts:
Phoenix Snow Park
1095 Myunonri,
Bongpyungmyeon,
Pyungchang, Gangwon-do
Tel: +82 1588 2828,
+82 033 333 6000
Email:
rex69@phoenixpark.co.kr
Web: www.pp.co.kr

Mountain Facts:
Summit: 1,040m
Base: 640m
Vertical Drop: 400m
Trails: 22
Lifts: 9
Gondolas/Cable Cars: 1
Restaurants: 10
Location: Seoul 160km

Golf Course:
Phoenix Park G.C.
Myunonri, Bongpyungmyeon,
Pyungchang, Gangwon-do
Tel: +82 033 333 6000
Email:
rex69@phoenixpark.co.kr

Course Review:
* Founded: 1999Year
* Designer: Jack Nicklaus
* Championship Length:
  6,932Yards
* Par: 72
* Type: Mtn's
* Remarks:
  www.phoenixpark.co.kr

휘닉스 스노우파크는 용평리조트와 더불어
2018 평창 동계올림픽 공식 경기장이다.

Phoenix Park

Korea 정선 High One, Jung Bong

　　　　강원도 정선에 있는 하이원 스키
장은 다양한 코스와 3기의 곤돌라 및
리프트 시스템을 갖춘 현대적인 스키장
이다.

하이원 스키장은 일반 스키장과는 달리
가족이 함께 리프트와 슬로프를 타고
올라갈 수 있는 데다 초보자 코스의 긴 슬로프와 중상급의 슬로프가 한데 어우
러져 가족이 함께 즐길 수 있는 쾌적한 스키장이다. 또한 국내에서 가장 친환경
적인 스키장으로 평가되며 4계절 내내 생태관광지로 거듭나는 계획을 마련 중에
있다.

하이원의 랜드마크는 마운틴 탑*해발 1,340m* 이라는 전망대로 스키 오프 시즌인
겨울 이외 계절에도 관람이 가능하다. 마운틴 탑에 있는 회전식 전망 레스토랑
은 백운산과 지장산의 수려한 비경을 한눈에 감상할 수 있는 낭만적인 장소이다.

총 497만㎡ *1228Acres* , 3Gondora, 7Lifts, 18Pistes, 정상 고도 1,376m, 수직
고도 680m, 슬로프 총연장 21km로 길고 넓어 스키 타기가 쉽고 편하며 정설
이나 제설시설이 잘 된 스키장이다. 기타 눈썰매장, 노천탕 사우나, 수영장, 골
프장 *하이원 C.C* 등 사계절 리조트답게 시설이 잘 구비되어 있다.

www.high1.com

중봉 *Jung Bong* 지구 정선 알파인 센터 *Jeongseon Alpine Centre* 는 2018년 동계올림픽 활강 *Down Hill* 경기와 슈퍼 대회전 *Super Giant* 경기를 위해 건설된 경기장이다.

국제스키연맹 *FIS* 은 2016년 1월 20일 '정선 알파인 경기장 코스'를 FIS WORLD CUP 코스로 공식 승인하였으며 슬로프 길이 2,852m, 최대 경사도 66%의 가파른 코스이다.

2018년 평창 동계올림픽대회 테스트 이벤트로 2016년 2월과 2017년 2월, 두 번에 걸쳐 무사히 치러져 올림픽과 앞으로 예상되는 알파인 스키 월드컵 대회의 개최에 자신감을 가지게 되었다.

우리나라에서 최초로 열린 활강경기여서 수많은 시민과 국제관계자들의 관심 속에 개최된 2016년 대회 활강경기에서 노르웨이의 세틸 얀스르트가 우승, 이탈리아의 도미닉 패리스가 준우승, 미국의 스티브 나이만 선수가 3위를 차지하였다.

High One

Travel Information

정선 High One
Skiing Facts:
High One Resort
San 1-139,Go-Han Ri, Jeong-
Seon Gun,
Gang Won Do, Korea
Tel: +82 1588 7789
Web: www.high 1.com

Mountain Facts:
Summit: 1,376m
Base: 731m
Vertical Drop: 645m
Trails: 19
Lifts: 7
Gondolas/Cable Cars: 3
Restaurants: 15
Location: Seoul 280km

Golf Course::
High One Country Club
Gohanri 1-139, Gohan-Eup,
Jeongseon-Gun, Gangwon
Province,
Korea
Tel: +82 1588 7789
Email:
webmaster@high1.com

Course Review:
* Founded: 2000Year
* Designer: -
* Championship Length: 6519m
* Par: 72
* Type: Mountains
* Remarks:
   www.high1.com/high1cc

Jeongseon Alpine Centre

정선 알파인 센터는 평창올림픽을 계기로 건설되었으며

활강 슬로프의 길이 2852m, 최대 경사도 66%로

세계적인 활강 코스 반열에 올라선

국제규모의 경기장이다

Travel Information

정선 Jung Bong
Jeongseon Alpine Centre
 Blue Dragon Valley
546,Sug-Am Ri, Bug-Pyeong
Myeon,
Jeong-Seon Gun,
Gang Won Do, Korea
Tel: +82 033 350 3906
Web:
www.pyeongchang2018.com

Mountain Facts:
Summit: 1,370m
Base: 545m
Vertical Drop: 825m
Trails: 6
Length: 2,852m
Lifts: 2
Gondolas/Cable Cars: 1
Restaurants: 6
Location: Seoul 230km

Korea 무주 Muju Deogyusan Resort

무주 덕유산리조트는 덕유산 국립 공원 내에 위치하며 총 2백12만여 평의 광대한 면적이다.

남부지역 대표적 산악형 리조트인 덕유산리조트는 수려한 자연환경과의 조화를 모토로 개발되어 자연과 인간, 예술이 잘 어우러진 곳이다.

레포츠 시설이 오스트리아풍으로 이루어져 있어 리조트 입구에 들어서면 마치 유럽에 와있는 듯한 착각을 불러일으킬 만큼 아름다운 경관을 자랑하며 자연친화적인 휴양과 스키, 골프등을 즐길수있는 가족형 4계절 휴양지이다. 무주 IC를 빠져나와 스키리조트 입구에 도착하면 낭만적인 건물들이 반갑게 맞아준다.

스키지역은 두 군데로 나뉘는데 만선 베이스*Manseon Base, 12Pistes*와 설천 베이스*Seolcheon base, 10Pistes*로 나뉜다.

설천 베이스는 해발 1520m의 덕유산 설천봉 정상에서 시작하며 미뉴에트 코스는 상급자 전용으로 97년 동계 유니버시아드대회 때 활강코스로 사용하였으며 초, 중급용 실크로드 슬로프는 하강하면서 장엄한 덕유산의 설경을 감상할 수 있으며 표고차 810m, 총연장 6.1km로 상당히 긴 편이다.

만선 베이스 최상단에 위치한 슬로프는 전문가 코스*최대 경사 70%*로 상당히 급경사이며 중간 능선 부위에는 보더들을 위한 하프파이프도 잘 갖추어져 있다.

전면 슬로프는 초중급자 전용 코스가 대부분이며 만선 베이스 정상에서 맨 좌측의 초중급자 코스인 3.4km에 달하는 슬로프도 설천 베이스의 실크로드 슬로프 못지않은 꽤 즐거움을 주는 익사이팅 한 코스이다.

설천 베이스와 만선 베이스 중간에는 스키점핑 시설인 점핑 파크 *Jumping Park* 가 있으며 97년 동계 유니버시아드대회 스키점프경기가 열리기도 하였다.

총 1,735Acres, 1Gondora, 12Lifts, 22Pistes, 정상 고도 1,520m, 수직 고도 810m의 빅리조트이다.

덕유산리조트는 비수기에도 등산이나 하이킹을 즐기러 내방객으로 넘쳐나며 야외 온천탕과 가족호텔, 콘도, 쇼핑센터, 레스토랑 등 시설들이 잘 갖추어져 있다.

주변 관광지로 반디랜드, 머루와인동굴, 구천동 계곡, 삼봉산 등도 둘러볼만하다.

www.mdysresort.com

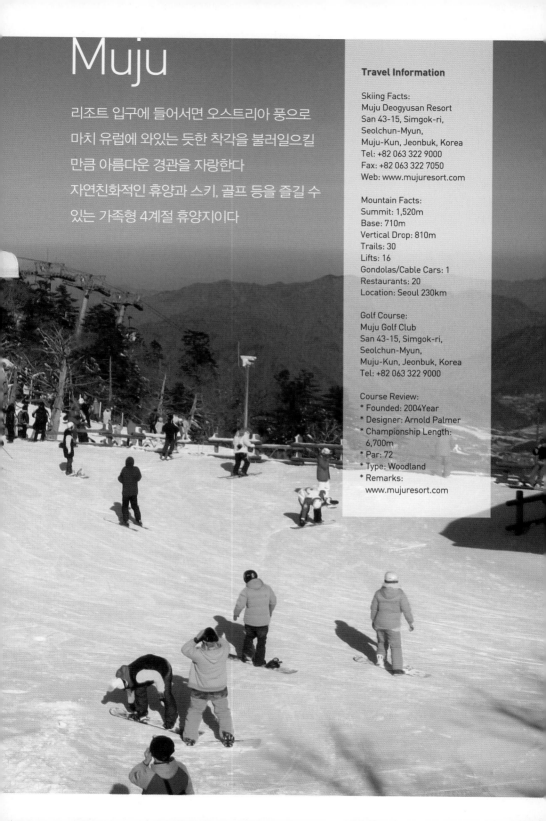

Muju

리조트 입구에 들어서면 오스트리아 풍으로
마치 유럽에 와있는 듯한 착각을 불러일으킬
만큼 아름다운 경관을 자랑한다
자연친화적인 휴양과 스키, 골프 등을 즐길 수
있는 가족형 4계절 휴양지이다

Travel Information

Skiing Facts:
Muju Deogyusan Resort
San 43-15, Simgok-ri,
Seolchun-Myun,
Muju-Kun, Jeonbuk, Korea
Tel: +82 063 322 9000
Fax: +82 063 322 7050
Web: www.mujuresort.com

Mountain Facts:
Summit: 1,520m
Base: 710m
Vertical Drop: 810m
Trails: 30
Lifts: 16
Gondolas/Cable Cars: 1
Restaurants: 20
Location: Seoul 230km

Golf Course:
Muju Golf Club
San 43-15, Simgok-ri,
Seolchun-Myun,
Muju-Kun, Jeonbuk, Korea
Tel: +82 063 322 9000

Course Review:
* Founded: 2004Year
* Designer: Arnold Palmer
* Championship Length:
  6,700m
* Par: 72
* Type: Woodland
* Remarks:
  www.mujuresort.com

Japan 하쿠바 Hakuba

일본 중부 산악지대 북알프스 산 기슭에 속하는 하쿠바는 3,000m 이상의 고봉이 즐비한 인구 9,000 명이 거주하는 산악마을로 하쿠바 연봉은 일본의 지붕이라 불리며 스키어와 산악인들을 매료시켜 왔다.

1998년 나가노 *Nagano* 동계올림픽의 개최로 전 세계에 알려진 하쿠바는 겨울에는 스키의 고장으로, 여름에는 골프와 등산, 트래킹으로 연중 다양한 스포츠를 즐길 수 있는 천혜의 장소이다. 나가노 지역은 홋카이도에 이어 두 번째로 많은 스키장을 보유하고 있고 양질의 눈을 자랑한다.

하쿠바 시내를 구경하다 보면 유럽의 휴양지들을 많이 모방하여 관광산업을 발전시키려는 흔적들이 다방면에서 눈에 띄기도 한다.
하쿠바에는 8곳의 스키장이 있는데, 핫포네 *Happo One*, 하쿠바 고류 *Hakuba Goryu*, 하쿠바 47 *Hakuba 47*, 이와 다케 *Hakuba Iwatake* 등으로 총 110 Lifts, 139piste를 자랑한다.

동경에서 출발할 경우 여행사마다 다양한 패키지가 있으니 스케줄을 잘 잡아예약을 반드시 하는 것이 중요하다. 시즌에는 호텔이 부족하기 때문에 미리 한

국에서 예약하고 출발하는 것도 좋은 방법이다. 패키지 버스는 주로 신주쿠나 이케부쿠로역 등 지하철역 주변에서 전국의 스키장으로 출발한다.

800여 곳의 스키장, 2400곳이 넘는 골프코스를 보유한 일본, 이에 비해 척박한 환경에서 운동하는 우리 선수들을 보면 마음이 아프다. 그러나 우리 선수들은 용기와 끈기, 불굴의 투지로 노력하는 모습에 동계스포츠 미래는 밝다 하겠다.

선구자 임경순 선수 이래 알파인 스키 정동현 선수의 오스트리아 FIS 월드컵 우승, 이채원 선수의 끊임없는 투지, 스키 황제 허승욱 선수 등의 노고를 잊으면 안 될 것이다.

www.skihakuba.com

나가노 동계올림픽 개최지로
겨울에는 스키, 여름에는 골프와 등산 등
연중 다양한 스포츠를 즐길 수 있는 휴양지이다

Hakuba

Travel Information

Skiing Facts:
Hakuba Mura,
Kita Azumi Gun, Nagano
Japan 399-9301
Tel: +81 261 723066
Fax: +81 261 723763
Web: www.skihakuba.com

Mountain Facts:
Summit: 1,830m
Base: 760m
Vertical Drop: 1,070m
Trails: 79
Lifts: 85
Gondolas/Cable Cars: 5
Restaurants: 40
Location: Nagano 30km

Golf Course:
Karuizawa G.C.
Minamigaoka, Karuizawa-
machi,
Kitasaku-gun, Nagano
Tel: +81 267 422220

Course Review:
* Founded: 1931Year
* Designer: Kodera
* Championship Length:
  6,726Yards
* Par: 72
* Type: Mtn's
* Remarks:
  www.princehotels.co.jp
  /golf/karu72

Japan 니세코 Niseko

니세코 *Niseko* 는 삿포로에서 남서부 약 100km 정도 떨어진 복합리조트로 약 2시간이면 도착하는 거리에 있다. 니세코 안누푸리 *Niseko Annupri* 산을 중심으로 제일 규모가 큰 니세코 히라후 *Niseko Hirafu* 를 비롯하여 니세코 빌리지 *Niseko Village*, 니세코 안누푸리 *Niseko Annupri* 등 총 5개의 스키 구역들로 구성되어 있으며 니세코 골프장이 지근거리에 있다.

니세코 스키장 맞은편에는 국립공원인 요테이 *Yotei, 1898m* 산이 근엄한 자태를 뽐내고 있다. 이 지역은 여름에도 북부내륙성기후 특성을 나타내기 때문에 시원하고 골프여행지로 추천드리며 이만한 여행지도 사실 많지는 않다. 겨울에는 눈의 천국답게 파우더 스킹을 즐길 수 있으며 삿포로 동계올림픽 홍보 이후 전 세계로부터 스키 관광객을 포함하여 삿포로 눈 축제 기간에만 200만 명 이상의 관광객이 몰려들고 있다.

이곳은 4계절 복합 리조트답게 골프, 스키는 물론 산악자전거, 사이클, 트래킹, 래프팅, 사우나 온천시설 등 휴가지로서는 손색이 없다. 4월부터 9월까지는 자전거를 무료로 대여해준다.

스키장 규모는 총 37Lifts, 77piste, 수직 고도 900m의 위용을 자랑한다.

정상 부근에서는 헬리 스킹도 즐길 수가 있다. 국내 스키장 폐장 후에도 한 달 더 늦은 봄까지 운영하기 때문에 스키를 타고 싶으면 부담 없이 삿포로로 가보는 것도 좋다.

스키장 가는 방법은 삿포로역이나 특급호텔에서 직통 셔틀버스를 운행하고 있어서 편리하다.

이곳도 마을마다 사우나, 온천시설이 잘 되어있어 료칸에 머물러 온천욕을 즐기며 휴식을 취해보자.

시간이 가능하다면 삿포로 주변의 오타루*Otaru* 관광이나 노보리베츠 *Noboribetsu* 에서 노천탕을 즐겨보는 것도 좋은 추억거리가 되지 않을까 싶다.

www.niseko.ne.jp

니세코 스키장은 삿포로지방의 최대 스키지역이며
4계절 복합 휴양 리조트이다

Niseko

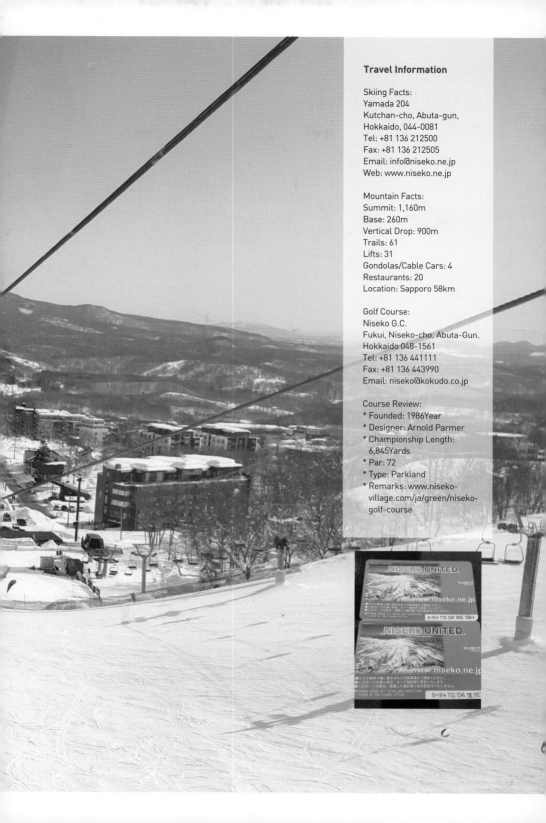

Travel Information

Skiing Facts:
Yamada 204
Kutchan-cho, Abuta-gun,
Hokkaido, 044-0081
Tel: +81 136 212500
Fax: +81 136 212505
Email: info@niseko.ne.jp
Web: www.niseko.ne.jp

Mountain Facts:
Summit: 1,160m
Base: 260m
Vertical Drop: 900m
Trails: 61
Lifts: 31
Gondolas/Cable Cars: 4
Restaurants: 20
Location: Sapporo 58km

Golf Course:
Niseko G.C.
Fukui, Niseko-cho, Abuta-Gun.
Hokkaido 048-1561
Tel: +81 136 441111
Fax: +81 136 443990
Email: niseko@kokudo.co.jp

Course Review:
* Founded: 1986Year
* Designer: Arnold Parmer
* Championship Length:
  6,845Yards
* Par: 72
* Type: Parkland
* Remarks: www.niseko-
  village.com/ja/green/niseko-
  golf-course

Japan 니이가타 Naeba, Kagura,Yuzawa

나에바 Naeba 스키장은 세이부 Seibu 그룹에서 운영하는 곳으로 니이가타현 에치고 유자와 지역에서 가장 큰 스키지역이다. 가쿠라 스키장과 리프트 공용으로 운용되며 3,600명 수용의 호텔과 온천이 있고 이곳은 세계 최장 5.8km에 이르는 드라곤돌라 Dragondora 로 유명한데 타시로 Tashiro , 가쿠라 Kagura , 미쓰마타 Mitsumata 스키장으로 연결된다.

2016년 FIS ALPINE WORLD CUP을 개최하였다. 다케노코 산 정상에서 라이딩하다 보면 "나에바 프린스호텔"을 비롯한 멋진 리조트의 풍광이 눈앞에 와 닿는다. 총 954Acres, 3Gondora, 20Lifts, 35Pistes, 정상 고도 1,789m, 수직 고도 889m, 최장 슬로프 4km로 빅리조트이다. 도쿄에서 기차로 갈 경우 에치고 유자와 Echigo Yuzawa 역에서 하차하여 나에바행 셔틀로 갈아타면 된다. www.princehotels.co.jp/ski/naeba

가쿠라 Kagura 스키장은 나에바 스키장 우측으로 드라곤돌라 Dragondora 로 연결되어 있다. 슬로프 총연장 25km로 상당하며 훌륭한 파우더 스킹을 제공하고 있다. 이곳은 나에바에 비해 설질이 더 우수하고 조용하며 스키어들이 덜 붐빈다. 적설량이 많아 11월 말에 오픈하여 5월 말까지 운영하며 고도가 나에바 보다 높아서 상급자에게 적격이며 라이딩하면서 훌륭한 풍광을 볼 수가 있다.

나에바와 같이 세이부 그룹에서 운영하며 프린스호텔 패키지 *식사, 숙박, 리프트 포함*로 20,000엔 정도 예상해야 한다. 총 544Acres, 3Gondora, 20Lifts, 23Pistes, 정상 고도 2,028m, 수직 고도 1,225m, 최장 슬로프 6km의 빅리조트이다. www.princehotels.co.jp/ski/kagura

갈라 유자와 *GALA Yuzawa* 스키장은 1990년에 개장하였다.
유자와 고겐 *Yuzawa Kogen* 등 유자와 지역 10개 스키장 공통 리프트권을 이용할 수 있으며 노벨 문학상 "설국"으로 유명한 마을 유자와는 도쿄에서 신칸센을 이용하면 편리하며 신칸센 저녁 열차가 19시에 있어서 당일치기로 다녀올 수 있다. 역에서 스키장행 셔틀이 다니기 때문에 접근성이 좋은 곳이다.
총 131Acres, 2Gondora, 9Lifts, 16Pistes, 정상 고도 1,181m, 수직 고도 823m, 최장 슬로프 2.5km의 중급 규모 리조트이다. www.gala.co.jp

유자와 고겐 *Yuzawa Kogen* 은 갈라 유자와 좌측에 위치하며 아시아 최대의 로프웨이 *166명 탑승*로 정상에 오를 수 있다. 정상에서 내려다보는 눈앞에 펼쳐지는 유자와 고원의 절경은 장관이다. 갈라 유자와 스키장과 리프트가 연결되어 있으며 초보에서 상급에 이르기까지 가족 스키장으로도 적격이다.
총 42Acres, 1Gondora, 11Lifts, 8Pistes, 정상 고도 1,170m, 수직 고도 840m로 중급 규모 리조트이다. www.yuzawakogen.com

Travel Information

Skiing Facts:
Naeba & Kagura
Naeba Ski Resort, Niigata
949-6292
Minami Uonuma-Gun
Yuzawa-Machi, Mikuni
Tel: +81 25 789 2211
Web:
www.princehotels.co.jp/ski/

Mountain Facts:
Summit: 1,790m
Base: 900m
Vertical Drop: 890m
Trails: 20
Lifts: 20
Gondolas/Cable Cars: 3
Restaurants: 40
Location: Kagura 10km

Kagura Mitsumata & Tashiro
Niigata 949-6211
Minami Uonuma-Gun
Yuzawa-Machi, Mikuni
Tel: +81 25 788 9221
Web:
www.princehotels.co.jp/ski/

Mountain Facts:
Summit: 2,028m
Base: 803m
Vertical Drop: 1,225m
Trails: 22
Lifts: 23
Gondolas/Cable Cars: 3
Restaurants: 10
Location: Yuzawa 6km

Golf Course:
Naeba Prince Hotel
Mikuni, Yuzawa-machi,
Minamiuonuma-Gun
Niigata 949-6292
Tel: +81 25 789 2211
Fax: +81 25 789 3140
Course Review:
* Founded: 1976Year
* Designer: -
* Championship Length:
   6,138Yards
* Par: 72
* Type: Mtn's
* Remarks:
   www.princehotels.co.jp/
   golf/naeba

Naeba

Japan 자오 Zao

일본 스키투어는 대부분이 홋카이도나 나가노 지역, 니이가타 지역으로 스키 여행을 많이 가곤 하는데 스키와 온천 이 잘 어우러진 휴양지로 숨겨진 천혜 의 장소라 하겠다.

센다이 국제공항에서 직통 셔틀로 1시 간 40분이면 도착할 수 있으며 열차도 1시간 간격으로 야마가타 山形 역으로 갈 수 있는 노선이 있다. 다만 센다이역에서 한번 갈아타야 한다. 야마가타 역에서 는 자오 스키장 정기 셔틀이 자주 다니고 호텔이나 료칸에 미리 예약을 하면 역 으로 손님을 모시러 나온다.

자오 온천 Zao Onsen 은 일본의 도호쿠 東北 지방에서 가장 오래된 3대 온천 중 하나로 주요 온천 명소로는 300년이 넘은 다까미야 료칸으로 과거 영친왕이 묵 었던 곳으로 알려져 있다.

자오 藏王 스키장은 고풍의 시골마을로 스키 이외에 전통적이 료칸 온천 이 같이 있어서 가족휴양지로는 그만이다. 자오 스키장의 백미는 세계적으로도 유명한 "스노 몬스터"라 불리는 수십만 그루의 수빙 樹氷 이 장관이다. 매년 12월부터 2 월까지 볼만하다.

스키장 정상에 가려면 자오산로쿠 역에서 1번 로프웨이를 타고 올라가 중간 기 착지에서 2번 로프웨이를 타고 오르면 정상에 도착한다. 정상에서 그윽한 차도

자오 스키장은 "스노 몬스터"라 불리는
수십만 그루의 수빙이 장관이다
매년 12월부터 2월까지 볼만하다.

마시며 휴식을 취하면서 즐거운 시간을 보내보길
권한다. 렌털은 상급자 기준 3,000엔, 리프트 요금
은 4,600엔으로 우리나라와 같은 수준이다.
일본에서 가장 오래된 스키 리조트 중 하나로 지
조산 *Mt.Jizo* 정상은 1,736m에 달하며 광활한 스키
장과 수빙 *樹氷* 들의 전경이 한눈에 들어온다. 스키
장 정상 지조산쵸 역 *해발 1,661m* 에서 8km에 이르
는 잔게자카 주효겐 코스에서 수빙을 감상하며 라
이딩 해보고 경사도 40%의 요코쿠라 *橫倉* 겔렌데에
도전해보자. 대부분 중급 코스로 구성되어있어 스
키 타기에 무리가 없다.

자오 스키장은 총 460Acres, 4Gondora, 38Lifts,
25Pistes 정상 고도 1,661m, 표고차 881m, 가장
긴 슬로프는 14km에 이른다.
봄부터 가을에 걸쳐서 트레킹과 단풍여행도 좋고,
주변의 역사 문화 박물관이나 자오 보다이라 고원,
다케다 와인 농장, 가미 오야마 성은 한번 둘러볼
만한 코스이다.
www.zao-ski.or.jp

Travel Information

Skiing Facts
Zao Onsen
990-2301,
Zao Onsen 940-1
Yamagata-shi, Japan
TEL 023-694-9617
FAX 023-694-9077
Web: www.zao-ski.or.jp

Mountain Facts
Summit: 1,660m
Base: 780m
Vertical Drop: 880m
Trails: 60
Lifts: 38
Gondoras/Cable Cars: 4
Restaurants: 20
Location: Yamagata 40km

Golf Course
Zao Country Club
2842-1, Zao-Uwano,
Yamagata-Shi, Yamagata
990 2303 Japan
Tel: 023 688 7777
Fax: 023 688 7778
Email: info@zaogolf.co.jp

Course Review
* Founded: 1961
* Designer: Miyake
* Championship Length:
  6,375Yards
* Par: 72
* Type: Mt'n
* Remarks
  www.zaogolf.co.jp

Zao

China 야부리 Yabuli

야부리 *Yabuli* 에 가는 방법은 하얼빈 역에서 야부리행 열차를 직접 이용하거나 관광회사를 통해 3-4일 패키지로 예약하면 편하게 다녀올 수 있다.

하얼빈에서 3시간 걸려 스키장 입구에 도착하면 입이 벌어질 정도로 하얼빈과는 또 다른 빙설제의 작품들이 눈에 띈다. 또 한 번 중국인의 대국다운 느낌을 받는다.

야부리 스키장은 1996년 개장한 중국 최초의 스키장이다. 날씨가 서울보다는 10도 이상 낮아서 너무 추운 느낌이 들어 장시간 스키타는 것은 좀 무리인듯싶다. 제3회 동계 아시안게임과 2009년 제24회 동계 유니버시아드 대회가 이곳에서 열렸으며 베이스 해발 500m 에서 리프트를 타고 정상 해발 1,374m 까지 올라가 보자. 수직 고도 874m, 20piste의 다양한 코스가 한눈에 들어온다.

스키 시즌은 11월 중순에서 4월까지 운영한다. 베이스는 두 군데가 있는데 정상에 오르면 서로 연결되어 있다.

중국은 2022년 베이징·장자커우 동계올림픽의 성공을 위해 지도부의 동계스포츠 육성에 대한 의지가 대단하다. 중국은 2025년까지 겨울스포츠 인구 3억 명을 예상하며 매년 수십 개의 스키장을 새로 건설하고 있다. 아직까진 한국,

일본에 비해 많이 뒤지고 있지만 중
국의 동계스포츠 굴기 선언은 많은
것을 시사해준다.

중국도 한국, 일본을 모델 삼아 국제
적인 FIS WORLD CUP 개최를 유치
할 것이며 동계스포츠의 주역으로 나
오려고 노력할 것이다.
www.yabuliski.com

야부리 스키장은
1996년 개장한 중국 최초의
스키장이다
해발 500m의 베이스에서
리프트를 타고
해발 1,374m 정상까지
올라가 보자
시즌은 11월 중순에서
4월까지 운영한다

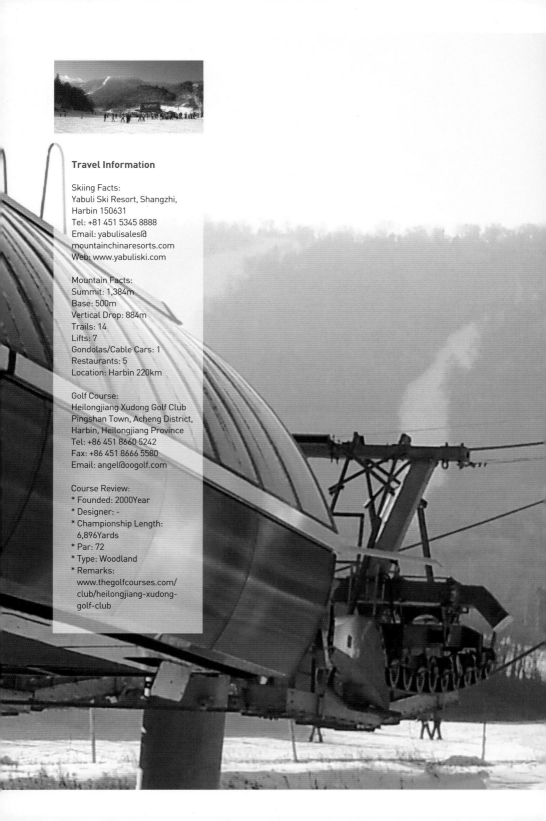

Travel Information

Skiing Facts:
Yabuli Ski Resort, Shangzhi,
Harbin 150631
Tel: +81 451 5345 8888
Email: yabulisales@
mountainchinaresorts.com
Web: www.yabuliski.com

Mountain Facts:
Summit: 1,384m
Base: 500m
Vertical Drop: 884m
Trails: 14
Lifts: 7
Gondolas/Cable Cars: 1
Restaurants: 5
Location: Harbin 220km

Golf Course:
Heilongjiang Xudong Golf Club
Pingshan Town, Acheng District,
Harbin, Heilongjiang Province
Tel: +86 451 8660 5242
Fax: +86 451 8666 5580
Email: angel@oogolf.com

Course Review:
* Founded: 2000Year
* Designer: -
* Championship Length:
  6,896Yards
* Par: 72
* Type: Woodland
* Remarks:
  www.thegolfcourses.com/
  club/heilongjiang-xudong-
  golf-club

Yabuli

스키장 정상 1,374m에 올라 보면
20piste의 다양한 슬로프가 스키어를 유혹한다

Russia 캄차카 Kamchatka

면적은 47만 4300㎢, 인구 35만여 명으로 주도는 페트로파블롭스크 캄차츠키 *Petropavlovsk Kamchatski*이며 주요 도시는 엘리 조보와 우스티캄차츠크이다. 캄차카 *Kamchatka*에는 약 160개의 화산이 있는데 클류쳅스카야 소프카 *Klyu-chevskaya Sopka*는 4,750m로 가장 높은 활화산이다. 캄차카 화산군은 매우 귀중한 자연지역으로 평가되어 1996년 세계 자연유산으로 지정되었다.

수산업, 광업이 발달하였으며 최근에는 온천이나 수렵, 낚시 등 관광객이 많아 캄차카 공항에서 하바롭스크, 블라디보스토크행 직항편이 자주 다닌다. 캄차카 공항은 옐리조보 *Yelizovo*에 위치하며 옐리조보 *Yelizovo* 공항에서 페트로파블롭스크 캄차츠키 *Petropavlovsk Kamchatski*까지는 25km로 교통이 편리하다.

캄차카 스키지역은 대부분 전문가와 동행하는 헬리스킹이 대부분이며 미리 예약하여 스케줄을 잡아야 하며 일반 스키장은 모로즈나야 소프카 *Moroznaya Sopka* 스키장이 있다. 모로즈나야 소프카 *Moroznaya Sopka* 스키장은 러시아 국가대표들의 연습장소로 이용되고 있으며 결코 작지 않은 스키장으로 리프트도 설비되어있다. 옐리조보 *Yelizovo*에서 약 7km 거리로 10분이면 도착하며 페트로파블롭스크 캄차츠키에서는 30분 정도 소요된다.

모로즈나야 소프카 *Moroznaya Sopka* 는 정상 고도 600m, 베이스 고도 170m, 수직 고도차 430m로 중급 규모의 스키장이다. 십여 개의 슬로프 대부분은 중급 코스가 많으며 정상에 오르면 페트로파블롭스크 캄차츠키 시내가 한눈에 들어온다.

헬리스키는 Klyuchevskaya Sopka, Koryakskaya Sopka, Kozelsky, and Zhupanovsky 지역이 인기 있으며 Korjakskij *Koryakskaya Sopka* 는 옐리조보 *Yelizovo* 에서 20여 km로 근거리이며 수직 고도차도 엄청난 2,536m로 헬리스키어들이 많이 찾는다. 클류쳅스카야 소프카 *Klyu-chevskaya Sopka* 는 정상 4,750m, 베이스 2,310m로 수직 고도차 *2,440m* 를 나타낸다. 옐리조보 *Yelizovo* 에서 약 350km 떨어져 있다.

헬리스키 전문여행사 : ALPIN TRAVEL GmbH

Email : info@alpintravel.ch

www.alpintravel.ch

Travel Information

Skiing Facts
Kamchatka,.Vilyuchinsky &
Moroznaya Sopka
Petropavlovsk-Kamchatskiy,
Kamchatka, Russia
Tel: +41 81 720 21 21
Email: info@alpintravel.ch
www.alpintravel.ch

Mountain Facts
Summit: 3,456m
Base: 1,200m
Vertical Drop: 2,600m
Trails: 6 (Moroznaya Sopka)
Lifts: 2 (Moroznaya Sopka)
Gondoras/Cable Cars: -
Restaurants: 1
Moroznaya Sopka
Location: Petropavlovsk-
Kamchatskiy 30km

Kamchatka

Russia 유즈노·사할린스크 Gorny Vozdukh

사할린 주의 주도는 유즈노 사할린스크 *Yuzhno Sakhalinsk* 이다. 험준한 산맥이 남북으로 긴 형태로 남한 면적의 80% 규모로 과거 러시아와 일본의 분쟁 교차지역으로 한인은 약 3만여 명으로 전체 주민의 5%가 조금 넘는다. 한이 서린 애환의 땅으로 꼭 가봐야 하는 곳이다.

유즈노 사할린스크 공항은 작은 시골공항으로 입국 절차는 간단하며 공항을 나와 시내버스를 타고 20분이면 역 주변의 다운타운에 도착한다.

고르니 보즈두흐 *Gorny Vozdukh* 스키장은 사할린 시내와 접해있으며 사할린 주의 유일한 스키장으로 매년 국제스키연맹 *FIS* 극동컵 스키 대회가 열리며 2017년 회전경기에서 정동현 선수는 세바스티안 홀츠먼 *2위, 독일*, 파벨 트리키체프 *3위, 러시아* 선수를 물리치고 우승을 차지하였다. 이곳은 현재 러시아 선수들의 연습장소로 많이 활용하고 있으며 장차 국제 규모의 확장 리모델링 계획을 추진 중에 있다.

위도상 50도에 가까워 자연설이 봄까지 녹지 않고 설질이 유지되어 4월 말~5월 초까지 스키장을 운영한다. 고르꼬고 승강장에서 리프트를 끊고 곤돌라를 타고 오르면 베르 쉬나 승강장에 도착한다. 이곳은 스키장 베이스로 곤돌라를

타고 계속 오르면 스키장 정상에 도착한다. 정상에
서는 유즈노 사할린스크 시내가 한눈에 들어오며
세 방향의 하강 코스가 있다.

백 컨트리 코스 등 본인 실력에 맞는 코스를 정하고
라이딩하다 보면 아기자기한 느낌을 받는다. 당일
권이 약 3만 원이며 최장 슬로프는 4.2km에 이르
고 스키장은 09시부터 21시 *야간스키*까지 운영하고
있다. 총 80Ha 부지에 2Gondora, 5Lifts, 14Pistes
로 해발 70m에 위치해있으며 정상 고도는 600m,
슬로프 총연장 21km로 중급 규모이다.

물가는 한국에 비해 조금 싼 편이며 시내는 안전이
보장되는 도시이다. 아프레 스키로 하이킹, 사냥,
낚시, 러시아식 사우나를 경험해보고 저녁에는 러
시아 음식도 즐겨보면 어떨까? 그윽한 한식당 "한
국관"에 가서 다양한 한식 요리도 즐겨볼 만하다.

호텔은 저렴한 곳을 찾기 보다는 스키장과 가깝고
한국인이 건설한 "메가 팰레스 호텔" 정도의 4성급
이상을 권한다.
현재 인천−사할린 구간은 아시아나 항공, 러시아
항공이 운항하고 있다.

Travel Information

Skiing Facts:
Gorny Vozdukh Ski Resort
Maksima Gorkogo, 7/4, Yuzhno-
Sakhalinsk,
Sakhalin 693010, Russia
Tel: +7 424 251 1110
Email: info@ski-gv.ru
Web: www.ski-gv.ru

Mountain Facts:
Summit: 600m
Base: 70m
Vertical Drop: 530m
Trails: 14
Lifts: 5
Gondolas/Cable Cars: 2
Restaurants: 4
Location: Yuzhno Sakhalinsk
2km

India 스리나가르 Gulmarg

인도 북부 카슈미르*Kashmir* 지역인 Jammu and Kashmir 주에 속하며 Hill station*영어 애칭*에 위치한 스키빌리지이다. 걸마르그*Gulmarg*는 꽃들의 계곡*Meadow of Flowers*이란 뜻으로 인도에서 가장 유명한 스키지역이다. 해발 2,700m에 영국인들에 의해 스키빌리지로 개발되었으며 주도 스리나가르*Srinagar*에서 동쪽으로 50km 떨어져 있다.

인도의 고산지대인 카슈미르*Kashmir* 지대에 속한 이곳은 100% 자연설로 엄청난 Off-Piste 지역이 대부분으로 눈사태 일기예보를 참고하여 스키를 타야 하며, 겨울 적설량이 5m가 넘고 "백 컨트리 스키, 파우더 스키"라는 말이 필요 없는 곳으로 2011년부터 헬리스키도 운영하고 있다.

걸마르그 곤돌라*Gulmarg Gondola*는 프랑스 회사 포마*Poma*에서 건설하였으며 세계 최고점인 3,950m까지 오르내려 기네스북에 등재되어 있기도 하다. 두 번의 로프웨이*Ropeway*로 연결되는데 걸마르그 베이스 2,600m 지점에서 1단계*Phase1*로 콩두리*Kongdoori, at 3,080m*까지 오른 후 2단계*Phase2; 36cabins, 18towers*로 아파르밧 봉*Mt.Apharwat, at 4,200m* 부근 정상*3,950m* 지점까지 시간당 600명의 고객들을 실어 나른다.

걸마르그는
'꽃들의 계곡'이란
뜻으로
인도에서
가장 유명한
스키지역이다

최근에는 관광객 수요에 맞추어 대형 호텔들이 들어서고 비수기에는 승마, 테니스, 골프, 하이킹, 마운틴 바이킹,클라이밍 등을 즐길 수 있는 아름다운 명소이며 교통편만 개선된다면 세계적인 관광지로 거듭날 수 있는 곳이다. 총 2,400Acres, 1Gondora, 6Lifts, 정상 고도 3,950m, 베이스 고도 2,600m, 수직 고도 1,350m로 자연친화형 범프 스키지역이다.

걸마르그 골프클럽 Gulmarg Golf Club 은 영국인들이 휴양지로 개발하여 1911년 오픈하였다. 이곳은 해발 2,650m에 위치한 세계 최고점에 위치한 골프장으로도 유명하다. 걸마르그 골프대회는 1922년 최초로 시작하여 1929년에 Nedou's Cup 대회가 열리기도 했다. 델리에서 1시간 반이면 스리나가르 Srinagar 에 도착한다.

걸마르그 Gulmarg 스키전문여행사
Email : skigulmarg@skigulmarg.com
Web : www.skigulmarg.com / www.hivermonde.com

Travel Information

Skiing Facts:
Gulmarg 193403, Srinagar
Kashmir, India
Tel: +91 993 757 3802
Email: skigulmarg@
skigulmarg.com
Web: www.skigulmarg.com

Mountain Facts:
Summit: 3,980m
Base: 2,650m
Vertical Drop: 1,330m
Trails: 10
Lifts: 6
Gondolas/Cable Cars: 1
Restaurants: 1
Location: Srinagar 56km,
Islamabad 123km

Golf Course:
Gulmarg Golf Club, Srinagar
Tel: + 91 1954 254507
Fax: +91 1126 259695

Course Review:
* Founded: 1891Year
* Designer: Peter Thompson
* Championship Length:
  6,760Yards
* Par: 72
* Type: Mountain
* Remarks:
  www.Kashmir-Tourism.org

Gulmarg

Kazakhstan 알마티 Shymbulak

자일리스키 알라타우 *Zailyisky Alatau* 산맥의 해발 2,260m에 위치한 중앙아시아 최대의 스키장이다. 스키장 입구 메데우 *해발 1,529m* 계곡에는 스케이트장이 있다.

2011년 동계아시안게임과 2017년 동계 유니버시아드 경기가 열린 세계적으로 유명한 명소이다. 2011년 동계아시안게임 활강경기에서 우리나라의 정동현 선수가 우승한 장소이기도 하다. 1972년에 건설되었고, 스피드 스케이트, 아이스하키, 피겨스케이트 등이 열렸다. 빙상장이 있는 Medeu Valley에서 Medeu Cable Car를 타고 4.5km를 오르면 쉼블락 스키 리조트 베이스에 도착한다.

쉼블락은 원래 국가 소유로 국가대표 훈련장으로 운영되었으나 리조트가 민간 사업자로 바뀌면서 편의시설 확충과 현대화로 관광객들도 많이 찾게 되고 카페나 레스토랑, 쇼핑센터, 4성급 호텔, 롯지 등 다양한 시설이 리모델링되어 관광명소가 되었다.

스키베이스는 해발 2,260m로 상당히 높은 위치에 있으며 리프트가 3단계로 운영된다. 쉼블락 *Shymbulak* 스키 시즌은 11월 중순부터 4월 초까지 스키장을 여는데 최대 경사는 45%에 이르며 평균 20-25%의 중급 코스가 대부분이다.

스키장 정상인 탈가 패스*Talgar Pass*는 해발 3,200m이며 레스토랑이 있어서 휴식하기가 좋다. 이곳에서 이어지는 활강코스는 국제경기 *FIS*를 개최할 수 있는 훌륭한 코스이다.

쉼블락은 모굴 코스와 스노보드 시설도 잘되어 있고 어린이 프로그램도 많이 준비되어 있어 가족휴양지로 즐길만한 스키장이다.
스키장 총면적 990Acres, 1Gondora, 5Lifts, 8Pistes, 정상 고도 3,200m, 베이스 고도 2,260m, 수직 고도 940m, 슬로프 총연장 15km의 중급 규모의 스키지역이다.
탈가봉 *Pik Talgar*에 오르면 천산산맥 줄기를 모두 볼 수가 있다.

Travel Information

Skiing Facts:
Shymbulak
Almaty, Kazakhstan
Tel: +7 327 258 2030
Email: info@shymbulak.com
Web: www.shymbulak.com

Mountain Facts:
Summit: 1,405m
Base: 555m
Vertical Drop: 850m
Trails: 11
Lifts: 6
Gondolas/Cable Cars: 1
Restaurants: 2
Location: Almaty 20km

Golf Course:
Nartau Golf Club
Alatau Sanatorium,
Kamenka Settlement,
480020 Almaty
Tel: +7 707 295 8823
Fax: +7 707 295 8830
Email: Admin@nurtau.kz
Course Review:
* Founded: 1996Year
* Designer: Saito San & Colin
  Montgomerie
* Championship Length:
  6,916Yards
* Par: 72
* Type: Parkland
* Remarks: www.nurtau.kz

Kyrgyzstan 카라콜 Karakol

카라콜*Karakol, Каракол*은 키르기스스탄 이식쿨*Issyk-Kul* 주의 주도로 인구 7만여 명의 전원형 소도시이다.

수도 비슈케크*Bishkek*에서 남동쪽으로 380km 떨어진 이식쿨 호湖 서쪽에 연해 있으며 중국 국경과는 약 110km 떨어져 있다. 키르기스스탄 제4의 도시이며 마나스 국제공항*Manas international Airport*에서는 400km 떨어져 있다.

비슈케크-이식쿨 철도의 종점이며 톈산산맥天山山脈으로 둘러싸인 하얀 설산과 끝없는 초원, 바다 같은 이식쿨*Issyk-Kul* 호수 등의 절경은 중앙아시아의 스위스라 불릴만하다.

카라콜 스키장*База "Каракол"*은 카라콜 시내에서 약 7km 남쪽에 위치하며 천산산맥의 줄기이자 풍광의 명소인 알틴 아라산*Altyn Arashan*의 카라콜 국립공원 내에 있다. 스키빌리지에는 Kapriz Karakol Hotel뿐이어서 시내에서 숙박을 해야 한다. 베이스 빌리지에는 스키 렌탈숍과 레스토랑, 게스트하우스 등이 있다.

카라콜 스키장은 러시아와 키르기스스탄이 합작으로 구 소련 시대에 국가대표 훈련을 위하여 건설하였다. 카라콜은 저렴한 호스텔과 3성급 호텔도 있고 쇼핑센터, 레스토랑 등이 있으며 여름에는 수많은 트레킹족들로 붐비며 겨울에

는 주로 러시아 스키어들로 붐빈다.

카라콜 스키장은 해발 2,300m에 위치하며 스키장 정상은 해발 3,040m에 이르는 작지 않은 스키지역을 이룬다. 이곳은 스노우캣*Snow Cats*을 타고 산맥의 정상 3,450m 지점에 올라 Off-Piste 지역에서 자연설 스키를 즐길 수도 있다. 스키장의 Caprice Karakol Hotel은 1박에 $250내외로 객실이 일찍 마감되기 때문에 미리 예약이 필요하다.

호텔의 저녁식사는 양고기 바비큐 특식이 나오는데 맛이 우리 입맛에 잘 맞고 훌륭하다. 시내 모텔급 저렴한 숙박업소는 대략 1박당 $35-$50내외이다.

카라콜 시내의 러시아 정교회 성당*Holy Trinity Catedral*이나 Chinese Mosque 등도 둘러볼 만한 관광지이다.

www.karakol-ski.kg / www.visitkarakol.com

Travel Information

Skiing Facts:
Karakol Resort
Karakol Canyon,Issyk Kul
Oblast.
Bishkek, Kyrgyz Republic
Tel: +996 312 900 582
Email: info@karakol-ski.kg
Web: www.karakol-ski.kg

Mountain Facts:
Summit: 3,040m
Base: 2,300m
Vertical Drop: 740m
Trails: 15
Lifts: 5
Gondolas/Cable Cars: -
Restaurants: 3
Location: karakol 7km

Golf Course:
Maple Leaf G.C.
Kara-Jygach Village,
Bishkek,Kyrgyzstan
Tel: +996 312 698 736

Course Review:
* Founded: 2002Year
* Designer: -
* Championship Length:
  3,376Yards
* Par: 38 9Hole
* Type: Parkland
* Remarks:
  www.mapleleaf.vacau.com

Karakol

Iran 테헤란 Dizin

이란은 우리보다 위도는 낮지만 페르시아 만을 제외하고 해발이 높아 사계절이 뚜렷하다.

디진 *Dizin* 스키 리조트는 1965년 팔레비 국왕이 세계적인 겨울 휴양지를 목표로 추진하였다. 1965년에 처음으로 리프트와 1968년 곤돌라 *Chalet gondola-2.2km* 를 설치하여 수많은 유럽 스키어들이 내방하기도 했다. 팔레비 왕조는 아야톨라 호메이니 *Ayatollah Ruhollah Khomeini* 가 이끄는 1979년 이슬람 혁명에 의해 무너진 후 미국과 영국의 봉쇄 정책으로 외국에 홍보되지 못한 채 내국인만 방문하는 곳으로만 알려져왔다.

해외 방문객 유치를 위해 특별히 이곳은 여자들의 옷 규제를 하지 않고 있다. 필자의 프랑스 친구는 너무 멋진 곳이라고 꼭 가볼 것을 권유하기도 했다.

디진 스키리조트는 이란혁명수비대 소유로 수도 테헤란에서 북쪽으로 약 123km, 알보르즈 *Albourz* 산맥 기슭에 있다.

테헤란에서 출발하여 카라쥐 *Karaj* 를 거쳐 카스피해의 연안 도시 차루스 *Chalus* 로 가는 계곡에 위치하며 약 2시간 30분 정도 가면 스키빌리지 거저로 *Gajereh* 마을이 나온다. 거저로 스키빌리지는 Dizin Gajereh Hotel 등 두 개의 호텔과 19개의 소규모 빌라 코티지 *cottages*, 5개의 레스토랑이 있다.

11월부터 5월 말까지 상당히 긴 시즌을 운영하며 정상 *Golleh station* 고도는 3,600m로 고도가 높은 세계 50대 스키지역으로 분류되기도 한다.

스키장은 총 1,160Acres로 4Gondora, 11Lifts, 23Pistes, 정상 고도 3,600m, 베이스 고도 2,650m, 수직 고저차 950m, 슬로프 최장 6km의 빅 리조트이다.

스키학교도 운영하며 설질도 유럽이나 로키산에 결코 뒤지지 않는 건설 상태로 환상의 파우더 스키를 즐길 수 있는 곳이다.

Travel Information

Skiing Facts:
International Dizin Ski Resort
Koraj,Alborz,Iran
Tel: +98 261 5212451
Fax: +98 261 5215045
Email: info@dizinpad.com
Web: www.fis-ski.com
      www.dizinskiresort.com

Mountain Facts:
Summit: 3,550m
Base: 2,650m
Vertical Drop: 900m
Trails: 23
Lifts: 12
Gondolas/Cable Cars: 3
Restaurants: 5
Location: Teheran 120km

Golf Course:
Enghelab Golf Course:
Enghelab Sports Complex,
Teheran
Iran
Tel: +98 212 240 40014
Email: info@lupinetravel.co.uk

Course Review:
* Founded: 1979Year
* Designer: -
* Championship Length:
  6,611Yards
* Par: 73
* Type: Parkland
* Remarks: www.
  enghelabsportcomplex.com

Dizin

Israel 네베 아티브 Neve Ativ

헤르몬 산은 안티 레바논산맥 *Anti-Lebanon Mountain Range* 의 남쪽 끝부분으로 레바논과 시리아, 이스라엘의 국경에 위치한다.

해발 2,814m의 높은 산으로 지중해 동부 최고 높은 산으로 요르단 강의 발원지이다. 정상은 유엔 *UN* 관할이며 헤르몬 스키장 *Mount Hermon* 은 북쪽의 안티 레바논산맥에 속하는 헤르몬 산의 남서쪽 사면에 위치해있다.

1967년 6월 전쟁에서 승리한 이스라엘은 시리아로부터 골란 고원지역을 흡수하여 헤브론산의 약 100㎢의 지역을 겨울철 스키장으로 개발하였다.

헤르몬 스키장은 이스라엘이 점유하고 있는 해발 2,236m까지만 이스라엘 관할이며 주민 소유는 아니지만 이스라엘의 네베 아티브 *Neve Ativ* 주민들이 삶의 터전으로 살 수 있도록 주민이 자체적으로 운영하고 있다.

텔아비브 *Tel Aviv* 에서 자동차로 출발하면 하이파 *Haifa* —초라짐 *Chorazim* —키르얏 시모나 *Kiryat Shmoneh* —네베 아티브—헤르몬 산 *Mt.Hermon* 으로 이어진다.

키르얏 시모나 공항 *Kiryat Shmoneh Airport, KSW* 에서는 네베 아티브 빌리지까지 버스가 다니며 약 40분 소요되고 헤르몬 스키장까지는 1시간 소요된다. 헤르몬 스키장은 1971년 Jewish Agency에서 헤르몬 자연보호구역 내에 최초 오픈하

였으며 스키장 정상에서는 광활한 레바논, 시리아 등의 전망을 볼 수 있어 수많은 관광객이 방문하고 있으며 베이스와 정상에는 레스토랑들이 있고 스키 패트롤, 스키학교 등을 운영하고 있다. 베이스에는 숙소가 없고 가까운 네베 아티브나 시리아 드루즈파인들이 사는 Majdal Shams에 숙소를 잡으면 된다. 4성급 호텔 Neve Ativ Rimonim Hermon Holiday는 무료 와이파이, 위성방송, 사우나, 수영장도 갖추어져 있고 여행안내도 자세히 해준다.

총 5,000Acres, 10Lifts, 14Pistes, 정상 고도 2,040m, 베이스 고도 1,600m, 고저차 440m, 슬로프 총연장 45km의 중급 규모의 리조트이다.

Travel Information

Skiing Facts:
Hermon
Neve Ativ, Golan Heights
Tel: +972 1599 550560
Email: hermon@skihermon.co.il
Web: www.skihermon.co.il

Mountain Facts:
Summit: 2,040m
Base: 1,600m
Vertical Drop: 440m
Trails: 14
Lifts: 10
Gondolas/Cable Cars: -
Restaurants: 2
Location: Metulla 19km

Golf Course:
Caessarea Golf & Country Club
PO Box 4858,Caessarea 30889,Israel
Tel: +972 461 09600
Email: golf@caesarea.com

Course Review:
* Founded: 1961/2007Year
* Designer: Fred Smith/Pete Dye
* Championship Length: 6545Yards
* Par: 72
* Type: Parkland
* Remarks: www.caessarea.com

Lebanon 시다스 Cedars

레바논의 수도 베이루트로부터 북동쪽으로 130km 거리로 2시간, 트리폴리 남동쪽으로 40분 거리에 있다.

Faraya 스키장과 더불어 유명한 스키장으로 Faraya-Mzaar Ski Resort 보다 해발 *2,090m* 이 높고 눈도 레바논에서 제일 많이 내리는 지역으로 가장 긴 스키 시즌을 자랑한다. 시즌은 11월에 시작하여 4월 말까지 오픈하며 정상 부근 *해발 2,870m* 의 Off-Piste Skiing도 유명하여 상급자들이 많이 찾는다.

1953년 개장이래 2006년에는 1,500만 불을 투입하여 오래된 리프트를 교체하고 곤돌라도 새로 설치해 정상 *해발 2,870m* 까지 이동이 편하도록 개선하였으며 호텔이나 쇼핑센터 등 유럽과 같은 첨단의 리조트로 변모시켜 관광객 유치에 나서고 있다. 2009년에는 Asian Ski Championship을 유치하였으나 중동사태로 취소되었다.

시다스는 총 6Lifts, 1Gondola가 운행 중이며 해발 3,088m 높이까지 곤돌라를 연장할 계획이다. 스키장은 8시에 오픈하여 평일은 3:30분, 주말에는 4시까지 리프트를 운행한다.

Apres-ski로는 세계적으로 유명한 시다스 백향목 숲 *Cedars forest* , 까디사 계

곡*Kadisha Valley*의 오래된 마을 풍경이 볼만하고 빨간 지붕의 브샤레*Bcharre*
시내 구경도 해보자. 이곳은 노벨 수상자인 칼릴 지브란*Khalil Gibran*의 고향인
데 그를 기린 지브란*Gibran* 박물관도 방문하여 그의 삶의 발자취를 돌아보는
것도 권한다.

시다스 백향목 숲은 큰 풍수해를 막아왔으며 까디사 계곡은 종교적 박해를 피
해 은신한 기독교도들의 은신처이자 고대 마론파 기독교의 중심지 중 하나였
다. 석조 예배당, 석굴, 암자, 그리고 프레스코 벽화들은 12~13세기 경에 제작
되었고 1998년 유네스코 세계문화유산으로 지정되었다.

시다스와 브샤레, 까디사계곡은 오늘날 하이킹, 암벽등반, 스키 등의 레포츠
명소로 각광받고 있다.

www.skileb.com

Cedars

시다스는 수도 베이루트로부터 130km 거리로 북동쪽으로 2시간,
트리폴리 에서는 40분 거리에 있으며 화라야 스키장과 더불어
레바논을 대표하는 유명 스키장이다

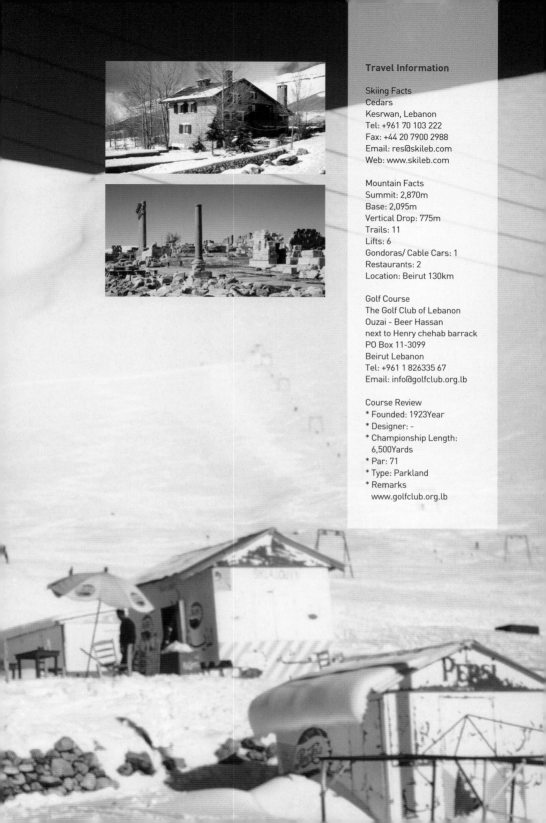

Travel Information

Skiing Facts
Cedars
Kesrwan, Lebanon
Tel: +961 70 103 222
Fax: +44 20 7900 2988
Email: res@skileb.com
Web: www.skileb.com

Mountain Facts
Summit: 2,870m
Base: 2,095m
Vertical Drop: 775m
Trails: 11
Lifts: 6
Gondoras/ Cable Cars: 1
Restaurants: 2
Location: Beirut 130km

Golf Course
The Golf Club of Lebanon
Ouzai - Beer Hassan
next to Henry chehab barrack
PO Box 11-3099
Beirut Lebanon
Tel: +961 1 826335 67
Email: info@golfclub.org.lb

Course Review
* Founded: 1923Year
* Designer: -
* Championship Length:
  6,500Yards
* Par: 71
* Type: Parkland
* Remarks
  www.golfclub.org.lb

Australia 진다바인 Thredbo, Perisher

호주에서 가장 높은 산맥인 코지어스코 *Kosciuszko* 산맥을 호주 알프스 *Australia Alps* 또는 *Snowy Mountains* 라 불리는 이곳에는 드레드보 *Thredbo* 와 페리셔 *Perisher* 스키장이 위치하고 있다.

시드니에서 드레드보행 직통 셔틀이 자주 운행되며 캔버라에서도 출발하는 셔틀버스가 있다.

호주의 수도인 캔버라 주변 관광을 하루나 이틀하고 스키장 가는 것도 좋을 듯하다. 캔버라에서 한 시간 반 정도 지나면 멋진 호수가 있는 진다바인 *Jindabyne* 근처를 지나치는데 순백의 코지어스코 산맥 *Mt. Kosciuszko* 이 멀리 눈에 들어온다. 온통 화이트칼라로 뒤 덮힌 은백색의 마을들이 보이고 곳곳에 스키 렌털숍들도 눈에 띈다. 도로 옆의 나무줄기들도 온통 백색으로 북반구와는 다른 남반구의 초목 특성을 보여준다.

드레드보는 유일하게 매년 FIS WORLD CUP이 개최되는 곳으로 14LIfts, 수직 고도 최대 735m를 자랑한다.

페리셔 스키장은 2009년까지 페리셔 블루 *Perisher Blue* 스키장으로 불렸으며 4개의 스키 구역이 있는데 Perisher Valley, Smiggin Holes, Blue Cow Mountain and Guthega 지역으로 나뉜다. 총 3,075Acres로 호주 최대의 스키

지역으로 스노보드와 크로스컨트리
100km 경기장도 잘 구비되어 있다.
2015년에 미국 베일 Vail 리조트에 인
수되어 경영권이 넘어간 상태이다.

드레드보와 10km 정도 떨어져 있
어서 시간이 허용된다면 Skitube
Alpine Railway Ski Train 를 타고 이동
하여 스키를 타보는 것도 좋은 추억
이 될 것이다.

이곳은 시드니에서 버스로 6시간, 캔
버라에서 2시간 30분 정도 소요되는
거리로 당일여행도 가능하나 1주일
정도 여유롭게 다녀오는 것을 권하고
싶다.

ww.thredbo.com.au

Travel Information

Skiing Facts:
Kosciuszko Thredbo Pty Ltd,
PO Box 92, Thredbo, Jindabyne,
NSW 2625
Tel: +61 264 594100
Fax: +61 264 594101
Email: info@thredbo.com.au
Web: www.thredbo.com.au

Mountain Facts:
Summit: 2,034m
Base: 1,299m
Vertical Drop: 735m
Trails: 45
Lifts: 14
Gondolas/Cable Cars: -
Restaurants: 20
Location: Canberra 140km

Kosciuszko Rd, Perisher Valley
Jindabyne, NSW 2624
Tel: +61 264 655822
Fax: +61 264 575560
Email: info@perisher.com.au
Web: www.perisher.com.au

Mountain Facts:
Summit: 2,054m
Base: 1,720m
Vertical Drop: 334m
Trails: 105
Lifts: 47
Gondolas/Cable Cars: -
Restaurants: 38
Location: Canberra 135km

Golf Course:
Thredbo Golf Club 9Hole
PO Box 58, Thredbo Village,
Jindabyne, NSW 2625
Tel: +61 264 594100
Fax: +61 264 594101
Email: info@thredbo.com.au

Course Review:
* Founded: 1996Year
* Designer: -
* Championship Length:
2,034m
* Par: 36
* Type: Woodland
* Remarks: www.thredbo.com.
au/activities/golf

드레드보

코지어스코 산맥의 남사면에 위치하고 있으며
호주에서 해발이 가장 높은 스키지역으로
매년 FIS WORLD CUP이 개최되는 유일한 곳이다

New Zealand 와나카 Wanaka

와나카 Wanaka 는 뉴질랜드 남섬, 오타고에 있는 인구 6,000여 명이 거주 하는 조그만 타운이다.

84번 국도로 약 70 km 남쪽에는 이 지 방의 중심 도시인 퀸스타운이 있고 북 서쪽으로 마운트 어스 파이어링 Mount Aspiring National Park 국립공원이 위치하고 있다.

여름에는 하이킹, 등산, 낚시, 호수 유람 등 많은 관광객이 찾아온다. 트레블콘, 카드로나, 스노파크, 스노 팜 등 대형 스키장이 가깝고, 겨울에는 스키, 스노보 드를 즐기는 여행객들로 활기가 넘친다. 스키 시즌에 장기 체류하는 여행자는 숙박비가 높은 퀸스타운 보다 와나카를 이용하는 것이 유리하다.

와나카 부근의 스키장은 트레블콘 Treble Cone , 카드로나 Cardrona Alpine Resort , 스노 파크 Snow Park , 스노 팜 Snow Farm 이 있는데 스노 팜은 뉴질랜드 유일의 크로스컨트리 스키장이고 트레블콘과 카드로나에 많은 스키어들이 몰려든다.

카드로나는 와나카 Wanaka 와 퀸스타운 Queens Town 의 중간 부분에 위치하며 7Lifts, 25Piste 수직 고도 600m로 규모가 광대하며 하프파이프가 4개, 그리고 초중급 코스가 많아서 가족용 휴양지로 제격이다.

이에 비해 트레블콘은 와나카에서 20분, 퀸스타운에서 90분정도 걸리며 뉴질

랜드에서 수직 고도차 *700m* 가 가장 크고 상급자가 즐기는 데는 그만이다. 리프트는 총 4Lifts, 21Piste 규모이나 코스에 관계없이 Off-Piste Terrain도 많아 다양한 자연설 스키를 즐길 수가 있다.

와나카나 퀸스타운 시내에서 스키장행 패키지 셔틀이 잘 되어 있고 차로 약 5분 거리에 와나카 공항이 있어 크라이스트 처치나 더니든 관광을 하기 편하다. 인터 시티는 시즌에 퀸스타운행 버스가 자주 운행된다.

www.cardrona.com / www.treblecone.co.nz

카드로나는 와나카와 퀸스타운의 중간 부분에
위치하며 7Lifts, 25Piste 수직 고도 600m로 규모도 광대하고
하프파이프가 4개, 초중급 코스들도 잘 구비되어 있어서
가족용 휴양지로는 뉴질랜드에서 이만한 곳은 찾아보기 힘들다

Cardrona

Travel Information

Skiing Facts:
트레블콘 Treblecone
PO Box 206, Wanaka
Tel: +64 3443 7443
Fax: +64 3443 8401
Email: tcinfo@treblecone.co.nz
Web: www.treblecone.co.nz

Mountain Facts:
Summit: 2.088m
Base: 1,260m
Vertical Drop: 828m
Trails: 21
Lifts: 4
Gondolas/Cable Cars: -
Restaurants: 3
Location: Queentown 85km

캐드로나 Cardrona
PO Box 117,20 Helwick Street,
Wanaka,
Tel: +64 3443 8880
Email: info@cardrona.com
Web: www.cardrona.com

Mountain Facts:
Summit: 1,894m
Base: 1,294m
Vertical Drop: 600m
Trails: 25
Lifts: 7
Gondolas/Cable Cars: -
Restaurants: 4
Location: Wanaka 34km,
Queentown 58km

Golf Course:
Wanaka G.C.
Ballantyne Road, Wanaka, 9192
PO Box 182, Wanaka
Tel: +64 3443 7888
Fax: +64 3443 4127

Course Review:
* Founded: 1922Year
* Designer: -
* Championship Length: 5,743m
* Par: 70
* Type: Lakes
* Remarks:
  www.wanakagolf.co.nz

트레블콘은 와나카에서 20분 거리로 뉴질랜드에서
수직 고도차가 가장 큰 스키지역으로
자연설의 다양한 코스에서 스키를 즐길 수 있다

Treble Cone

New Zealand 퀸스타운 Queens Town

퀸스타운 *Queens Town* 은 뉴질랜드 남섬 와카티푸 호반에 위치한 목가적인 전원도시이자 휴양관광지로 널리 알려져 있다. 과거 애로 타운에서 금광이 채굴되어 골드러시를 이루기도 했다.

현재는 와카티푸 호수 관광과 밀퍼드사운드 빙하 관광, 코로넷 피크 스키투어, 밀부룩 골프투어 등이 유명하다. 겨울에는 스키나 보드, 여름에는 래프팅, 수상스키, 골프, 번지점프, 트래킹을 즐기기엔 더없이 좋은 곳이다. 겨울 평균기온은 5~10도로 그리 추운 편은 아니다.

전 세계에서 관광객이 많이 몰려들기 때문에 세계 각국의 음식점이 즐비하다. 한식과 일식도 있는데 가격도 적당한 편이다. 와카티푸 호수 주변을 거닐다 보면 관광객이 많이 보이기도 하지만 조용하고 멋진 호수 풍경에 사로잡혀 시간 가는 줄 모른다. 시간적인 여유가 있다면 호수의 명물인 증기선을 타고 호수 투어도 해보자. 10여 년 전에 필자는 민박을 운영하는 노부부 교민 댁에 머물렀는데 저녁마다 와인을 곁들여 고향 이야기도 하면서 정겨운 시간을 보냈었다.

퀸스타운 스키장은 코로넷 피크 *Coronet Peak* 와 리마커블 *Remarkables* 이 유명하다. 옛날 영국인들이 정착하여 뉴질랜드 최초로 개발된 코로넷 피크는 시내

에서 20여 분 거리에 있고 야간에도 운영하며 경사도가 비교적 높아 중상급 스키어들이 많이 찾는다. 총 6Lifts, 45Piste, 수직 고도 462m이다.

리마커블 스키장은 6Lifts, 34Piste, 수직 고도 357m로 초중급자 코스가 많아 가족휴양지로 적당하다. 시내에서 40분 정도 소요되고 두 스키장 모두 6월에서 10월까지 개장한다. 매년 6월 말에는 퀸스타운 윈터 페스티벌이 열린다.

인천에서 출발하여 오클랜드 경유, 현지 국내선으로 갈아타면 1시간 40분이면 퀸스타운에 도착한다.

www.nzski.com

Travel Information

Skiing Facts:
코로넷피크 Coronet peak
PO Box 359, Queenstown 9300
Tel: +64 3442 4620
Fax: +64 3442 4637
Email: info@nzski.com
Web: www.nzski.com

Mountain Facts:
Summit: 1,649m
Base: 1,168m
Vertical Drop: 481m
Trails: 40
Lifts: 7
Gondolas/Cable Cars: -
Restaurants: 4
Location: Queentown 18km

리마커블스 Remarkables
PO Box 359, Queenstown 9300
Tel: +64 3442 4615
Fax: +64 3442 4619
Email: info@nzski.com
Web: www.nzski.com

Mountain Facts:
Summit: 1,943m
Base: 1,586m
Vertical Drop: 357m
Trails: 30
Lifts: 6
Gondolas/Cable Cars: -
Restaurants: 4
Location: Queentown 26km

Golf Course:
Millbrook G.C.
Malaghans Road
Arrowtown
Tel: +64 3441 7010
Fax: +64 3441 7030

Course Review:
* Founded: 1930Year
* Designer: Greg Turner
* Championship Length: 6,412m
* Par: 72
* Type: Parkland
* Remarks:
  www.millbrook.co.nz

Coronet Peak

뉴질랜드 최초로 개발된 코로넷 피크는 시내에서 20여 분 거리에 있고
야간에도 운영하며 경사도가 비교적 높아 중, 상급 스키어들이 많이 찾는다

퀸스타운은 전원도시로 골프, 스키, 빙하관광 등
전 세계에서 관광객이 방문하는 천혜의 4계절 휴양지이다

Queens Town

Morocco 마라케시 Oukaimeden

모로코 *Morocco* 는 지중해를 사이에 두고 스페인과 접해있다. 과거 프랑스의 지배를 받아 프랑스 문화가 생활 속에 들어 있다. 불어와 아랍어를 주로 사용하며 파리 드골공항에서 카사블랑카, 마라케시 등으로 직항이 다닌다.

2010년에는 남아공에게 월드컵 유치권을 놓쳤으나 대규모 전용구장 *5만 석 이상* 이 16개나 준비된 나라로 차기 아프리카 월드컵 개최국으로 유력하다.

모로코에는 두 곳의 스키지역이 있다. 페스와 인접한 이프란 *Ifrane* 과 마라케시와 가까운 우케임덴 *Oukaimeden* 이다.

이프란 *Ifrane* 은 왕실과 부유층의 별장지로 유명하며 1928년 프랑스 귀족들이 개발한 스키 휴양지로 중부 산맥 해발 1,665 m에 위치해있으며 작은 스위스로 불리는 작은 스키장이다.

www.ifranecity.freehostia.com

우케임덴 스키장은 아틀라스 산맥 *Atlas Mountains* 의 명산인 해발 4,167m 투브칼 국립공원 *Toubkal National Park* 입구에 위치해 있다. 해발 2,600m의 높은 고도지역에 자리 잡고 있으며 정상은 해발 3,273m에 이르며 아프리카 최대 스키지역이다. 마라케시에서 80km, 자동차로 1시간 30분 거리에 있어서 당일코스로 다녀올 수 있는데 택시로 이동할 경우 요금은 편도로 500바트 *50$* 정도이며, 버스는 편도 500바트 *25$* 이나 불편하다. 마라케시 여행사에 패키지로 예약하거나 우케임덴 Chezjuju호텔에 예약하면 편리하다. 렌탈숍도 갖춰져 있고 일일 세트권 *리프트, 장비 포함* 이 300바트 *30$* 정도이다.

호텔 및 스키 예약: Email : resachezjuju@gmail.com / www.hotelchezjuju.com

Travel Information
Skiing Facts:
Haut Atlas Oukaimeden,
Marrakech, Morocco
Email : resachezjuju@gmail.com
www.hotelchezjuju.com

Mountain Facts:
Summit: 3,270m
Base: 2,570m
Vertical Drop: 700m
Trails: 20
Lifts: 7
Gondolas/Cable Cars: -
Restaurants: 3
Location: Marrakech 80km

Golf Course:
La Palmeraie G.C.
Les Jardins de la palmeraie,
Circuit de la Palmeraie,
BP 1488, Marrakech
Tel: +212 443 68766
Fax: +212 443 06366
Email: golf@pgp.ma

Course Review:
* Founded: 1993Year
* Designer:
  Robert Trent Jones Sr.
* Championship Length:
  6,795Yards
* Par: 72
* Type: Parkland
* Remarks:
  www.palmeraieresorts.com

435

Oukaimeden

South Africa 드라켄스버그 Tiffindell Ski & Alpine Resort

남아프리카 공화국의 행정수도는 프리토리아 *Pretoria* 이며 주요 도시로 케이프타운 *Cape Town*, 요하네스버그 *Johannesburg*, 더반 *Durban* 등이 있으며 2011년 7월, 더반에서 개최된 IOC 총회에서 2018년 평창 동계올림픽이 선정되어 우리와 인연이 많은 도시가 되었다.

이곳은 레소토 *Lesotho* 의 아프리 스키장 *Afri-Ski, www.afriski.net* 과 더불어 사하라사막 이남의 유일한 스키지역이다. 남아공 유일의 스키장으로 CNN에서 선정한 World's best ski 20runs에 선정되기도 했다.

스키 베이스는 이스턴 케이프 *Eastern Cape* 의 최고봉인 해발 3001m Ben McDhui 남사면에 자리하고 있으며 매년 남아공 부유층과 유럽 스키어 6천 명 이상이 내방하고 있다.

2014년 이래 매년 International FIS South African Master's Championships 경기도 열리고 아프리카 최초로 Youth Olympic, FIS Ski World Cup을 개최할 수 있는 유일한 곳이다.

티핀델 *Tiffindell* 숙소는 소규모 롯지로 총 200실로 적은 편이며 현재 빌라를 증축 중이다. 시즌에는 스키장에서 24km 떨어진 로즈 *Rhodes* 에 숙소를 정하면

편리하다. 티핀델은 주변 학생들을 위해 무료 스키학교를 운영하고 지역주민들 고용 창출은 물론 대대적인 스키장 확장공사를 진행하고 있다.

비시즌에는 남아공의 대표적인 익스트림 "Ben 10 Eco Challenge"가 열리는데 티핀델은 "Tiffindell and Ben McDhui Pass"가 열리는 센터로 남아공의 주요 익스트림 스포츠 4륜 모터바이크나 MTB를 타고 남아공 톱 5봉인 Ben McDhui*해발 3001m*까지 오르내리는 스포츠 경기이다. 이곳은 기타 마운트 보딩*mountain boarding*, 그라스 스킹*grass skiing*, 하이킹, 알파인 플라워*alpine flowers*, 낚시 등도 즐길 수 있다.

www.mountainpassessouthafrica.co.za

티핀델은 레소토의 아프리 스키장*Afri-Ski*과 220km 떨어져 있으며 가까운 공항은 엘리엇 공항*Elliot Airport*으로 스키장과 120km 떨어져 있다.

스키 패키지 예약 Email: Reservations@snow.co.za

www.tiffindell.co.za

Tiffindell

티핀델

레소토의 아프리 스키장과 더불어 사하라사막 이남의 유일한 스키지역이다
남아공 유일의 스키장으로 CNN에서 선정한 World's best ski 20runs에
선정되었다

Travel Information

Skiing Facts:
Tiffindell
Tiffindell Farm,
Barkly East, 9786
PO Box 170, Eastern Cape,
Southern Drakensberg
Tel: +27 11 781 2620
Fax: +27 45 974 9006
Email: info@ski.co.za
Web: www.tiffindell.co.za

Mountain Facts:
Summit: 3,000m
Base: 2,720m
Vertical Drop: 280m
Trails: -
Lifts: 5
Gondolas/Cable Cars: -
Restaurants: 5
Location: Durban 650km,
Rhodes 24km

Golf Course:
Maclear Country Club &
Golf Estate
Ahrbeck Street
Maclear, 5480
Tel: +27 82 752 8242
Fax: +27 45 932 1242
E-mail: noel@maclear.co.za

Course Review:
* Founded: 1961Year
* Designer: -
* Championship Length:
  3,147m
* Par: 35
* Type: Parkland
* Remarks:
  www.maclear.co.za

PyeongChang 2018 Olympic Winter Games

* Games period:
  9 February 2018 - 25 February 2018(17days)
* No. of participating countries: Over 80 countries
* No. of participants: Over 26,000
* Location of venues:
  PyeongChang, Gangneung, Jeongseon

* Sports &venues: 7 sports, 15 disciplines
• Snow Sports:
  PyeongChang(Alpensia, Yongpyong, Bokwang),
  Jeongseon(Jungbong)
• Alpensia: Cross Country skiing, Ski Jumping,
  Nordic Combined,Biathlon,Bobsleigh,Bobsleigh
  Skeleton, Luge
• Yongpyong: Alpine skiing(Giant slalom/Slalom)
• Bokwang: Freestyle skiing, Snowboarding
• Jungbong: Alpine skiing
  (Downhill/Super giant slalom)
• Ice Sports: Gangneung
  (Speed Skating, Figure Skating, Short Track
  Speed Skating,Ice Hockey, Curling)

* Alpensia: Cross Country skiing, Ski Jumping,
  Nordic Combined,Biathlon,
  Bobsleigh, Bobsleigh Skeleton,Luge

  Cross Country skiing/Ski Jumping,
  Course Length:
  A line - 3.75km/3.3km/2.5km/2km
  B line - 3.75km/3.3km/2.5km/2km
  Two slopes for competitions(LH,NH),
  three for practice(K60,K35,K15)

* Yongpyong:
  Alpine skiing(Giant slalom/Slalom)
  Alpine Giant Slalom Course(Rainbow I):
  Length: 1,191m, Altitude Difference 410m,
  Average Slope 34.4%

Alpine Slalom Course(Rainbow II):
Length: 583m, Altitude Difference 210m,
Average Slope 36.0%
* Jungbong:
  Alpine skiing(Downhill/Super giant slalom)
  Men's course: Length: 3,360m,
  Altitude difference 880m,
  Average slope 26.2%
  Women's course: Length: 2,720m,
  Altitude difference 780m,
  Average slope 30.7%
  Super Combined: Length: 600m,
  Altitude difference 180m,
  Average slope 35.1%
  Gondola(M) 1,Lift(F) 1
* Bokwang:
  Freestyle skiing, Snowboarding
  Freestyle(10): Moguls(Men/Women),
  Aerials(Men/Women),SX(Men/Women),
  Ski HP(Men/Women),
  Ski Slope Style(Men/Women)
  Snowboard(10): PGS(Men/Women),
  HP(Men/Women), SBX(Men/Women),
  PSL(Men/Women),
  Snowboard Slope Style(Men/Women)

The Pyeong Chang Organizing Committee for the 2018 Olympic Winter Games

Pyeong Chang Office: 325 Solbong-ro,
Daegwanryeong-myeon, Pyeongchang-gun,
Gangwon-do 232-951, Korea
Tel: +82-33-249-4409
E-Mail: info@pyeongchang2018.org
Seoul Office: 7F, Press Center Bldg, Sejong-daero
124, Jung-gu, Seoul 100-745, Korea
Tel: +82-2-2076-2018
E-Mail: info@pyeongchang2018.org
Web: www.pyeongchang2018.org

스키 투어 일지
(Ski Tour Diary: 1980.2.10.- 2017.12.20)

- 인스브루크 (Innsbruck):
  J.Hong 1989.3.10.-12,
  J.C.Moon 2017.1.28-30
- 생 안톤 (St. Anton):
  J.C.Moon 2017.1.25-27
- 키츠뷔엘 (Kitzbuhel):
  J.C.Moon 1990. 2.15-21, 2006.2.3.-6
- 첼암제, 카푸룬 (Zell am See, Kaprun):
  J.C.Moon 2006.2.7-10
- 베르비에 (Verbier):
  J.C.Moon 1992.12.11.-15
- 융프라우 (Jungfrau):
  C.Y.Lee, J.K.Moon 2015.4.5.-10
- 체르마트 (Zermatt):
  J.C.Moon, I.J.Lee 1996. 10.24-27
- 샤스페 (Saas-Fee):
  J.C.Moon, I.J.Lee 1996.10.21.-23
- 생 모리츠 (St. Moritz):
  J.C.Moon 1997.12.18.-21
- 샤모니 몽블랑 (Chamonix):
  J.C.Moon, I.J.Lee 1998.3.15.-18
- 발토랑스 (Val Thorens):
  J.C.Moon 1987.1.12.-15,
  J.N.Moon, S.H.Jung 2017.12.13.-15
- 티뉴(Tignes):
  J.C.Moon 1998.3.19.-21
- 발디제르(Val-d'Isère):
  J.N.Moon, S.H.Jung 2017.12.16.-17
- 라쁠란느 (La-Plagne):
  J.N.Moon, S.H.Jung 2017.12.18.-20
- 가르미슈-파르텐키르헨 (Garmisch):
  J.C.Moon 1992.12.18.-21, 2005.2.10-12
- 오베르스트도르프 (Oberstdorf):
  J.C.Moon 2005.2.13.-15
- 코르티나 담페초 (Cortina d'Ampezzo):
  J.C.Moon 1999.1.14-16
- 셀라 론다 (Sella Ronda):
  J.C.Moon 1999.1.17-19
- 비아라테아 (Sauze d'Oulx, Sestriere):

- J.Hong 2003.4.6.-10
- 체르비니아 (Cervinia):
  J.C.Moon 1996.10.27-30
- 크루코노세 (Krkonose National Park):
  J.Hong 2001.2.12.-16
- 크라니스카 고라 (Kranjska Gora), 보겔(Vogel):
  J.C.Moon 1992.3.11-15
- 사라예보 (Bjelasnica, Jahorina):
  J.C.Moon 1992.3.5-8
- 반스코 (Bansko):
  J.C.Moon 2005.2.18.-20
- 브라쇼브, 시나이아 (Poiana-Brasov, Sinaia):
  J.Hong 2012.9.12.-20
- 소치 (Sochi-Krasnaya Polyana):
  J.Hong 2014.2.4.-12
- 애비모아 (Cairngorm):
  J.C.Moon 1995.4.5.-7
- 세인트 앤드루스 (St. Andrews):
  J.C.Moon 1995.4.8-10
- 릴레함메르 (Halfjell, Kvitfjell):
  J.Hong 1998.2.11.-14
- 트롬쇠(Tromso, Nordkapp):
  J.C.Moon 2006.8.11.-16
- 베일, 비버 크릭 (Vail, Beaver Creek):
  J.C.Moon 1996.1.27.-2.2
- 스팀보트 (Steamboat):
  J.Hong 1995.2.12-15
- 아스펜 (Aspen, Snowmass):
  J.C.Moon 1996.2.3.-5
- 잭슨 홀 (JacksonHole):
  J.Hong 1996.1.6.-11
- 솔트레이크 (Deer Valley, Park City):
  J.Hong 1980.2.10.-14
- 레이크 타호 (Lake Tahoe):
  S.K.Hong 2016.4.10.-12
- 타오스 (Taos):
  J.Hong 1984.2.18.-25
- 알리에스카 (Alyeska):
  J.Hong 1990.4.1.-6
- 킬링톤 (Killington):
  J.C.Moon 2009.2.2.-5
- 휘슬러, 블랙콤 (Whistler, Blackcomb):
  J.C.Moon 1994.2.8.-11
- 밴프, 레이크 루이스 (Banff, Lake Louise):
  J.Hong 1994.4.10.-16
- 뽀르띠요 (Portillo):

J.Hong 1981.8.6.-10
- 라스 레냐스 (Las Lenas):
  J.C.Moon 1990.7.20.-23
- 바릴로체, 우수아이아 (Bariloche, Ushuaia):
  J.Hong 1991.2.15-30
- 하쿠바 (Hakuba):
  J.C.Moon 2009.3.21.-23
- 니세코 (Niseko):
  J.C.Moon, 2006.3.22.-25,
  K.H.Hong 2016.2.26-29
- 니이가타 (Naeba,Yuzawa):
  J.C.Moon 1997.2.21.-25
- 야부리 (Yabuli):
  J.C.Moon, K.H.Hong 2015.12.31.-1.3
- 시다스 (Cedars):
  J.C.Moon 1997.1.12.-15
- 진다바인 (Thredbo):
  J.C.Moon 1992.8.8.-11
- 와나카 (Wanaka), 퀸즈타운 (Queenstown):
  J.C.Moon, H.K.Hong 2008.8.24.-30
- 케이프타운, 더반 (Cape Town, Durban):
  J.Hong 1996.3.22.-30

책을 만든 사람들

* Our Family & Companion
J.Hong(James Hong, U.S.A.Journalist):
  Park City외 14Area
J.C.Moon(Jean Claude Moon):
  Val Thorens외 33Area
K.H.Hong: Yabuli, Niseko
S.K.Hong: Lake Tahoe
C.Y.Lee, J.K.Moon; Jungfrau
J.N.Moon, S.H.Jung:
Val Thorens, Val-d'Isère, La-Plagne
I.J.Lee(Germany): Chamonix, Zermatt, Saas-Fee
H.K.Hong(Samsung): Wanaka, Queenstown

도움주신 국내외 분들 (Information & Photo License)

박순백박사:
  알프듀에즈, 레두잘프 (Alpe d'Huez, Les 2 alpes)
  밴프, 레이크 루이스 (Banff, Lake Louise)
장민우: 하이원 (High One Resort)

김행복회장: 카라콜 (Karakol)
David Müller (St. Moritz)
Jessica Haney (Cairngorm)
Josi Martinez (Baqueira Beret)
Sam Kieckhefer (Squaw Valley)
Marina (Oukaimeden)
Synva Vinje (Voss)
Kamil Pito ák, Kristína (Poprad)
Yanik Turgeon (Gulmarg)
Iva Ivki (Sarajevo-jahorina)
Tomislav uri in (Bjelolasica)
Roland Beeler (Kamchatka)
Madeline Pickerl (Marmot Basin)
Connie Marshall (Alta)
Marilyn Stinson (Deer Valley)
Nina Lines, Terje Carlsen (Svalbard)
Camilla R. Fjellvang (Lillehammer)
Fortier, Lindsy (Aspen)
Eetu Leikas (Yllas)
Helle Holt (Narvik)
Mojca Šiljar (Vogel)
Tarja Nikkinen (Levi)
Eunseon Kang (Naeba Prince Hotel)
Adam Zaleski, Agata Pacelt-Mikler (Zakopane)
Sahar (Dizin)
Lill-Mari Raabye (Tromso)
John Bowers (Jackson Hole)
Lidija Cosovic (Zabljak)
Skylar Kraatz (Taos)
Pernilla Enqvist (Are,Hamsedal)
Björn Broström (Salen,Trysil)
Linn Ravndal Norevik (Voss)
Marisa da Costa (Andorra)
Veronica Soto (Portillo)
Aman Zhanserkeev (Karakol)
Per Jonsson (Lapland-Kiruna)
Cody Whitmer (Big sky)
Stevan Rosi (Kopaonik)
Giles Birch (Sierra Nevada)
Kristina (Valle Nevado)
Travis Morrison (Tiffindell)
Yutaka Onuma, Yu Jeong, Lee (Zao)
Claudia Debernardi (Vialattea)
Alexei Bevjamski (Neve Ativ)
Intersport Síaréna Eplény Manager
Parnassos Communications Coordinator

월드 스키 투어

Skiing & Golfing Travel
(43Countries, Hundreds of Resorts)

초판 발행   2018년 02월 09일
-
글·사진   장 클로드 문
펴낸이   고봉석
책임편집   윤희경
편집디자인   이진이
펴낸곳   이서원
            서울시 서초구 신반포로 43길 23-10 서광빌딩 3층
전화   02-3444-9522
팩스   02-6499-1025
이메일   books2030@naver.com
등록   2006년 6월 2일, 제22-2935호
-
ISBN   978-89-97714-98-8

이 도서의 국립중앙도서관 출판예정도서목록(CIP)은 서지정보유통지원시스템 홈페이지(http://seoji.nl.go.kr)와

국가자료공동목록시스템(http://www.nl.go.kr/kolisnet)에서 이용하실 수 있습니다. (CIP제어번호: 2018003342)